COLLECTION MEDIA/DISCOURS

FRANÇOIS MITTERRAND
Essai sur le discours

par

Dominique LABBE

LA PENSEE SAUVAGE

Couverture réalisée d'après un document photographique de J.-P. Chambon.

© 1983-Ed. La pensée sauvage, BP 141, 38002 Grenoble.
ISBN 2859190465

SOMMAIRE

INTRODUCTION

Selon sa propre expression, Mitterrand fait partie de notre paysage depuis longtemps. Pourtant, malgré un nombre impressionnant de biographies, parfois hagiographiques, il demeure en lui un côté énigmatique. Cet aspect obscur qui excite tant les critiques ne vient pas d'une vie politique cent fois passée au crible et dans laquelle ne subsiste plus beaucoup de zones d'ombre, il est provoqué par un choix délibéré. Avant tout, Mitterrand se veut homme de discours, il a décidé d'habiter les mots et de s'en faire une carapace, il s'est refabriqué avec eux, ne vit que par eux. Mauriac l'avait pressenti et disait de lui « c'est un personnage de roman » [1]. N'entendons pas ce jugement dans un sens banal (quelqu'un de peu ordinaire) car, plus profondément, Mauriac voyait en lui un personnage fabriqué, pétri par l'imaginaire plus que par la vie. Effectivement Mitterrand semble beaucoup aimer les rôles. Un jour il se voit en Fabrice del Dongo à Waterloo, un autre ce sera Saint Just voulant fusiller les trafiquants à la Libération, un troisième encore, il s'imagine traître sartrien que la bourgeoisie poursuit de sa vindicte parce que, bourgeois lui-même, il aurait eu l'audace de se tourner contre elle : version avantageuse puisqu'elle fait de lui un révolutionnaire et explique d'un coup tous les complots réels ou supposés, toutes les attaques dont il a été la victime. Mais il ne s'agit pas de ces travestissements d'un jour aussitôt délaissés, le choix dont nous parlons n'a rien à voir avec un changement de complet veston ou de lieu de villégiature, il engage l'existence entière à la manière dont on peut dire de certains hommes qu'ils se sont choisis une destinée.

1. Mauriac F. *Bloc-notes*, 8 octobre 1954, Paris, Flammarion, 1958, p. 128.

Le choix de Mitterrand, sa volonté de se faire par son discours sont apparemment logiques : la politique moderne se résume de plus en plus à des échanges de signes, poussant à l'extrême une caractéristique du commerce entre les hommes en société. En réalité, Mitterrand opère une sorte de détournement puisqu'il n'utilise pas le langage en vue d'échanger mais pour exister tout simplement. Il se refuse à communiquer comme nous le faisons quotidiennement car il en voit tous les risques : nous nous perdons, nous nous oublions dans l'échange alors que lui ne veut pas changer mais demeurer tel qu'il s'est choisi. Tous ses biographes s'accordent au moins sur un point : Mitterrand tient la discussion publique en horreur, il s'y prête parfois, mais ne s'y livre point. Une fois pour toutes, il a décidé d'être imperméable. Malgré tout, il parle et, ce faisant, il parsème son discours d'indices qui le trahissent. Pour le connaître il suffira donc de le suivre à la trace.

La tâche n'est pas aussi simple qu'il y paraît, car le langage est une réalité complexe et les ressources qu'offre la langue française sont proprement infinies. Cependant il ne faut pas s'exagérer la difficulté. Depuis une vingtaine d'années, la linguistique moderne a sérieusement déblayé le terrain. Ce sont les méthodes et les instruments de cette science que nous avons appliqués aux textes de Mitterrand, en insistant sur la période la plus récente de sa vie (1964-1981)[2]. Nous présentons ici les résultats de cette recherche de manière aussi simple que possible et en évitant toutes les discussions théoriques ou conceptuelles qui font les délices et les poisons des linguistes. Il en est une cependant qu'il faut évoquer car elle se trouve au principe de notre travail. Qu'est-ce qui va nous permettre d'affirmer : «voilà un trait propre à Mitterrand» ou «là, il parle comme les autres hommes politiques» ? Il faudra pour cela un étalon de référence, sinon l'on mesurera tout à l'aune de sa subjectivité. En théorie, rien de plus simple : on recueille dans une machine tout ce que disent nos hommes politiques, le résultat servira de repère pour juger la singularité de Mitterrand... On peut aussi envisager une solution moins utopique : comparer quelques individus entre eux pour dégager progressivement leurs particularités respectives. Hélas, dès le premier pas, surgit l'obstacle du contexte : quand on est un

2. On trouvera à la fin de ce livre, en annexe, un texte présentant succintement les méthodes qui ont été utilisées pour l'analyse du discours, ainsi qu'une courte bibliographie mentionnant les principaux ouvrages en la matière.

homme politique de la stature de Mitterrand, on ne parle pas en l'air mais toujours en situation, c'est-à-dire par rapport à des événements et en fonction du public. On ne s'adresse pas de la même façon à des agriculteurs et à des patrons, à quelques notables ou à trente millions de téléspectateurs. Logiquement, il faudra que les individus auxquels nous allons comparer Mitterrand se soient trouvés à peu près dans la même situation. A la limite, il serait bien pratique de les enfermer dans un laboratoire... Mitterrand s'est prêté à cette expérience deux fois avec Giscard. Lors des « Face à face » de 1974 et 1981, les organisateurs, obsédés par le respect de l'égalité entre les concurrents, réalisèrent une véritable expérience « in vitro » d'autant que les deux adversaires se trouvaient plus ou moins à égalité dans les intentions de vote et se disputaient donc les faveurs des mêmes auditeurs. Nous avons superposé les propos tenus à cette occasion et, par contraste, sont apparus les caractéristiques de Mitterrand. Il ne restait plus qu'à vérifier ces singularités en comparant avec d'autres hommes politiques et à approfondir la chose en dépouillant ses œuvres.

L'étude commence donc par la confrontation Giscard-Mitterrand. Le portrait qui s'en dégagera sera complété sous l'angle du vocabulaire, du style et des images. Cette description achevée, on verra en quoi le discours de Mitterrand a été changé par son élection. Voilà la logique interne de ce livre. Pour reprendre une image chère à Mitterrand, le lecteur butinera où il a envie et suivant l'ordre qu'il lui plaira d'adopter.

La naissance d'un président

«Comme un peuple que l'histoire a rendu sceptique, vous ne croyez pas beaucoup à la sincérité des hommes politiques. »

(V. Giscard d'Estaing. Vœux du 31 décembre 1976).

Les deux candidats débattent[1] depuis une heure déjà, lunettes sur le nez, visages sévères. Giscard vient d'obtenir un demi-aveu : Mitterrand va augmenter le déficit budgétaire. « J'en étais sûr » s'exclame-t-il et une lueur passe dans ses yeux. Son débit oratoire se précipite encore. Il parle du système monétaire européen, du cours du mark et, comme s'il y songeait tout à coup, il lance : « Pouvez-vous me dire les chiffres ? ». Mitterrand reste impénétrable : *Je connais bien la chute du franc par rapport au mark entre 1974 et...* Mais il ne peut poursuivre car Giscard le coupe avec impatience : « Non, non aujourd'hui ? ». Le visage de Mitterrand se contracte un peu sans qu'on puisse savoir s'il réprime un sourire, s'il est agacé ou inquiet : *Le chiffre de la journée, de la soirée ?* Giscard commence visiblement à exulter : « Oui comme ordre de grandeur ? ». Le candidat socialiste entame une réponse sur un ton contenu et s'arrête au bout de trois mots, son visage s'anime, une main tranche l'air, la voix s'enfle : *Je n'aime pas beaucoup — je vais vous dire les chiffres — je n'aime pas beaucoup cette méthode. Je ne suis pas votre élève et vous n'êtes pas le président de la République ici. Vous êtes seulement mon contradicteur et...* Giscard l'arrête, condescendant : « Oui et je vous ai posé une question... ». Mitterrand, très sec maintenant : *Je n'accepte pas cette façon de parler.* Il a vraiment l'œil noir et, à la place de Giscard, on se serait méfié, mais lui ne voit rien ; il a la satisfaction du maître coinçant le mauvais élève ou le cancre qui n'a pas appris sa leçon. Il tient enfin la preuve que son adversaire est incapable de gérer l'économie française puisqu'il ne "sait" pas : « Le fait de vous demander quel est le cours du deutschmark... ». Mitterrand l'arrête, très ferme maintenant, *Ce que je peux simple-*

1. Pour analyser le débat Giscard-Mitterrand, nous avons utilisé le compte rendu sténographique paru dans le journal *Le Monde* (document reproduit dans le supplément aux *Dossiers et documents du Monde* consacré à l'élection présidentielle de 1981). Les références à la rencontre de 1974 proviennent essentiellement du livre de Cotteret J.M. et al, *54774 mots pour convaincre*, Paris, PUF, 1976.
  Afin de faciliter la lecture nous avons systématiquement mis entre guillemets les propos de Giscard et ceux de Mitterrand en *italiques*.

ment vous dire c'est que lorsqu'on passe de 1,87 F. à 2,35 F. en l'espace de sept ans, cela n'est pas une réussite pour le franc; pas davantage par rapport au dollar que par rapport au mark. Alors je suis presque étonné que vous me lanciez dans cette discussion qui, tout à coup, se greffe d'une façon inattendue dans notre conversation alors qu'elle est plutôt la preuve que le franc dont on se flatte beaucoup dans les propos officiels n'a pas aussi bien réussi qu'on le dit.

Tout le monde garde en mémoire ce petit échange, moment le plus vif du débat assez terne qui opposa Giscard et Mitterrand le 5 mai 1981 entre les deux tours de l'élection présidentielle. Si nous l'avons rappelé ainsi c'est qu'il illustre parfaitement les deux caractéristiques essentielles de la soirée. Giscard est venu avec une seule idée en tête : envoyer l'autre au tapis. Il le veut KO, mais cela l'obsède au point de l'aveugler. Quant à Mitterrand, il a pris une grande assurance et la France découvre sa stature présidentielle. En effet il semble habité par la prémonition que la victoire ne peut plus lui échapper et qu'il se trouve déjà élu. L'objet de ce livre sera de décrire l'alchimie curieuse qui, entre 1965 et 1981, amène Mitterrand à s'identifier à la fonction présidentielle jusqu'à en offrir, le 5 mai, une image presque parfaite. Ce soir-là, nous le voyons se conduire avec un calme souverain même s'il ne dédaigne pas attaquer dès que l'adversaire se découvre. Mais, avant tout, il refuse le ton et le rythme de pugillat que Giscard veut lui imposer, il le tient à bonne distance pour ne pas se trouver enfermé dans les sortes de corps à corps où il avait tant souffert en 1974.

En effet, à sept ans de distance, ces deux acteurs nous offrent un remake, et, quoique vieillis, nous les retrouvons apparemment égaux à eux-mêmes. Giscard a toujours un débit rapide et régulier, un rythme de métronome pour aligner ses phrases courtes et lisses. Son vocabulaire demeure toujours aussi limité — il est plus pauvre en mots d'environ 20% par rapport à celui de Mitterrand — car sa technique consiste à répéter inlassablement certains termes, certaines formules clefs, comme s'il voulait les mettre en majuscules et nous les enfoncer dans le crâne. Ce style est, paraît-il, adapté aux mass media mais c'est aussi "le premier principe de la propagande moderne" suivant la célèbre formule de Trotsky reprise par Gœbbels. Mitterrand représente l'archétype opposé avec sa rhétorique un peu surannée propre au Barreau et à la tradition parlementaire, avec son vocabulaire plus recherché et plus divers qui égale en richesse celui du général de Gaulle. Mitterrand c'est surtout un curieux débit oratoire particulièrement lent mais traversé de coupures et d'accélérations dont on saisit mal la raison. En fait, Mitterrand ne parle pas, il dit : les transcriptions des multiples interviews ou discours qu'il a prononcés dans sa vie présentent toutes des caractéristiques plus proches de l'écrit que de l'oral. Probablement griffonne-t-il un brouillon pour la moindre de ses interventions et s'y tient-il toujours d'assez près, même quand il feint d'improviser. Bien sûr, cela n'adoucit pas l'image de froideur distante dont il n'est pas arrivé à se débarrasser.

Ce soir-là, tout le monde a donc ressenti une impression de déjà vu. Il ne semble pas pour autant que les deux hommes se soient trouvés dans les mêmes dispositions d'esprit qu'il y a sept ans. Nous disposons pour l'affirmer d'un indice simple qui réagit un peu comme le thermomètre avec la fièvre. L'orateur, habité par la conviction d'être dans le juste ou qui se sent à l'aise et possède son sujet, fera des phrases plutôt courtes et de dimensions relativement stables. Au contraire celui qui n'est pas sûr de lui ou de la validité de son propos embrouillera un peu les choses : cela se traduira par un style plus lourd qu'à l'accoutumée et par des phrases moins régulières. En 1974, Giscard était dans le premier cas et Mitterrand dans le second. Or, le 5 mai 1981, la longueur moyenne des phrases des deux rivaux s'est considérablement rapprochée. Certes celle de Giscard reste un peu plus courte, mais un style oral s'accompagne de phrases plus simples et plus brèves que le style écrit. Il y a donc un double mouvement : alourdissement du style chez l'ex-président, alors que le candidat socialiste se fait plus incisif. De plus, à l'inverse de 1974, cette moyenne apparaît moins stable chez Giscard que chez Mitterrand. Ajoutons que la fatigue, inhérente à la longue campagne que les candidats viennent de mener, tend normalement à allonger la phrase et à alourdir le style. Notre thermomètre indique donc qu'il y a sept ans Giscard se sentait porté par le souffle de la victoire et que, aujourd'hui, Mitterrand commence à son tour à éprouver la certitude du succès, ce qui lui permet de résister avec sérénité à toutes les attaques.

Une première explication de bon sens vient à l'esprit : les deux hommes connaissent les sondages non publiés qui donnent au futur élu plus de deux points d'avance dans les intentions de vote. L'ancien président pense combler son retard s'il parvient, comme en 1974, à marquer un net avantage lors de ce débat télévisé.

Ayant minutieusement étudié la bande de leur précédente rencontre, il a choisi de suivre la même tactique, de développer la même argumentation : ses premiers mots sont d'ailleurs calqués sur son introduction d'alors. Il s'agit d'instaurer un dialogue polémique avec l'autre sous prétexte d'éclairer le choix des Français. Mais le candidat socialiste avait eu tout le temps de remâcher l'amère expérience de 1974 et de se reprocher ce qu'il appelle *l'imprudence* de son *détachement intérieur* face à Giscard[2]. Il est bien décidé à ne pas retomber dans le panneau. Certes, trente ans de vie parlementaire ont fait de lui un jouteur de première force, mais il a décidé de ne plus se prêter au pugillat : *On me voulait boxeur sur le ring et j'esquivais le corps à corps... Je pense voilà tout que j'étais là pour autre chose* consigne-t-il après le débat de 1974[3]. Pour lui, polémiquer c'est déchoir, et il ne veut pas revenir là-dessus car, ayant lui aussi étudié le film de ce débat, il a compris qu'il lui fallait à tout prix éviter de se laisser entraîner dans le dialogue direct, le tac au tac, avec cet adversaire. Alors il impose une modification de taille aux conditions de la rencontre : le débat sera arbitré par deux journalistes dont le rôle consistera à interroger tour à tour les candidats. Certes, ce schéma idéal n'a pas été vraiment respecté, mais il a néanmoins pesé sur la rencontre puisque les deux journalistes ont pris leur rôle à cœur et ont vraiment mené le débat. Dans leur grande majorité, les interventions de Mitterrand répondent à leurs questions et non aux interpellations de Giscard. Tout au long de la soirée, celui-ci tentera de passer au-dessus des arbitres, reprenant directement la parole après l'autre pour le contredire, l'interpeller, le forcer au combat et lui faire mordre la poussière. Il n'y parvient jamais. L'échange sur le mark sera le plus long, et l'on a vu comment Mitterrand s'en tire plutôt bien, disqualifiant le ton de son adversaire, son attitude agressive et supérieure, avant de retourner le fond du problème à son avantage. A plusieurs reprises, il ignore même ces interruptions et continue son développement. Il réplique même : *Je n'entends pas être interrompu*. Ainsi, par rapport à 1974, le débat perd de sa symétrie. Il y en a toujours un qui veut ferrailler, mais ses coups semblent porter à vide parce que son adversaire le maintient à distance, ou à cause d'un des journalistes qui se trouve là pour reprendre la balle, puisque Mitterrand ne daigne pas la renvoyer.

---

2. *La paille et le grain*, Paris, Flammarion, 1975, p. 290.
3. *Ibidem.*

Celui-ci a préparé une série de petits discours sur les principaux sujets et il nous les dit sans se laisser dévier. Il conclut souvent par une formule, comme *C'est tout ce que je voulais dire*, signifiant qu'il n'y reviendra pas, qu'il n'y a pas matière à polémique.

Cette attitude est profondément caractéristique de Mitterrand et l'on aurait tort de la croire motivée par une sorte de modestie qui, consciente de ses limites, tenterait de se sortir à moindre frais d'un affrontement délicat. Au contraire cela indique la haute opinion que Mitterrand a de lui-même : que gagne le vainqueur à polémiquer avec le vaincu ? En effet discuter avec quelqu'un c'est reconnaître son existence, son droit légitime à vous contester. Cela abaisse du même coup vos paroles, du rang de vérités ultimes, à celui d'opinion parmi d'autres. Alors que Giscard se prête au jeu, le recherche même, parce qu'il est intimement convaincu d'y affirmer sa supériorité intellectuelle, Mitterrand se refuse au dialogue, car il est sûr de détenir seul la légitimité et la vérité. Ce sont des choses qui ne se discutent pas, surtout avec quelqu'un qui ne possède ni l'une ni l'autre. Il a d'ailleurs adopté un comportement semblable avec le PCF à partir de 1974 ou au sein du PS, particulièrement avec Rocard à qui il a toujours refusé de répondre, confiant à ce propos : *Je ne suis pas un boxeur qui, pour le plaisir de la galerie, va en découdre avec l'adversaire qu'on lui propose*. Nous verrons au long de ce livre qu'il s'agit d'un des traits les plus remarquables de son caractère. Ainsi s'explique une curieuse caractéristique du débat télévisé. On aurait pu s'attendre à ce qu'il insiste sur le bilan du septennat écoulé, bilan qui semble a priori son meilleur argument. Or Mitterrand n'en fera rien et préférera s'étendre sur ses projets, son programme ou son état d'esprit personnel. Ce soir-là, Giscard vient donc d'abord pour parler de Mitterrand et celui-ci pour parler de lui-même : la majorité du temps, il ne sera question pratiquement que du candidat socialiste, à la fois dans les propos du sortant (Si vous êtes élu...) et dans son propre discours (*après mon élection...*).

Cette dissymétrie se lit clairement dans le tableau I. On y voit que les deux premières parties, soit plus des deux tiers du débat, portent principalement sur Mitterrand, celui-ci étant au centre de ses interventions comme de celles de son rival. La différence mérite d'autant d'être notée qu'en 1974 Giscard disait plus "je" que son adversaire. L'expansion de l'ego mitterrandien s'accompagne d'un peu de narcissisme. En effet il utilise le possessif et le réfléchi deux fois plus que Giscard. Ce glissement du je au *moi* n'est pas

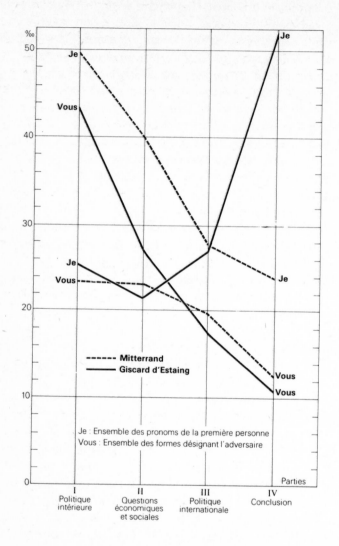

‰

Je : Ensemble des pronoms de la première personne
Vous : Ensemble des formes désignant l'adversaire

- - - - - Mitterrand
———— Giscard d'Estaing

Parties

I
Politique
intérieure

II
Questions
économiques
et sociales

III
Politique
internationale

IV
Conclusion

Tableau I : Moi et l'autre *

* L'axe vertical indique la fréquence avec laquelle chacun des adversaires a utilisé les formes de la première personne ou celles désignant son adversaire. L'axe horizontal représente les parties du débat. Ainsi on voit que, dans la partie politique, Mitterrand a dit *je* (ou un dérivé) 50 fois en moyenne par tranche de mille mots : soit un sur vingt. Et, dans le même temps, il n'a désigné son adversaire que 22 fois. Mais, dans sa conclusion, le *je* a perdu la moitié de son poids. Giscard, lui, suit un mouvement à peu près inverse. Les points ont été reliés pour faciliter la lecture et figurer le déroulement du débat. (Tableau extrait de « Le débat Giscard-Mitterrand », *Revue française de science politique*, octobre-décembre 1981, p. 956).

anodin. On comprendra aisément la différence qui sépare "je propose" de "mes propositions". Dans le premier cas, nous sommes mis en face d'une volonté individuelle qui se reconnaît comme telle, alors que la seconde formulation pose un objet et le dote d'une existence autonome que l'orateur peut à la fois assumer et regarder comme partie du monde extérieur. Telle est bien l'utilité du possessif et du réfléchi chez Mitterrand. Au cours du débat, il peut centrer ses propos sur lui-même tout en semblant le faire objectivement et en suggérant qu'il ne s'agit pas de sa personne mais d'un programme, d'une politique, de propositions ou d'un mouvement qu'il incarnerait.

L'énigme Mitterrand réside d'abord dans cette modulation habile qui joue sur les ressources de la langue au premier rang desquelles il y a la façon dont l'orateur va habiter son propre discours. Deux grandes solutions s'offrent à lui : il peut dire "je veux lutter contre le chômage" ou bien "il faut lutter contre le chômage". Au fond les deux choses ont la même signification, mais dans le premier cas, l'orateur prend en charge ce qu'il dit, il l'assume et s'y implique, alors que dans le second, il s'efface et rattache son propos à l'ordre de la nécessité ; on dira qu'il s'en distancie. C'est le principe du discours scientifique ou didactique d'où le je est banni. Giscard utilise ce genre avec abondance car il a décidé de prononcer une véritable leçon sur les contradictions de son adversaire. En face Mitterrand se distancie rarement de cette façon, il utilise peu les formes impersonnelles, mais il y a souvent une sorte de réfraction dans ses propos : ce n'est pas lui qui luttera contre le chômage ou l'inflation mais son *programme*, sa *politique*, son *gouvernement*... De même c'est *le candidat socialiste qui s'engage*, qui *rassemble*, ou *le président de la République* qui *dissoudra* l'Assemblée, etc. S'il assume parfois son propos avec beaucoup de fermeté, il s'agit généralement, non pas d'agir, mais de *dire, affirmer, refuser, penser que, répondre, exposer, ajouter que*... Nous retrouvons ici cette tendance à se constituer en objet de son discours, à moduler, suivant le sujet abordé, la distance qu'il entretient avec lui-même et avec le monde.

Au cours du débat, cette distance est minimale lorsque Mitterrand parle de ses projets politiques et très importante à deux reprises : quand il aborde la division de la gauche et à propos des nationalisations. Le tableau I donne d'ailleurs une indication plus générale. On y voit que l'équation personnelle de Mitterrand c'est la politique intérieure et qu'il semble beaucoup moins à l'aise lorsqu'on passe à l'économie ou à la politique internationale. A priori cela reflète les forces et les faiblesses du candidat socialiste dont l'allergie à l'économie et le désintérêt relatif pour la scène mondiale étaient proverbiaux jusqu'à ces dernières années. Mais ces amples variations du *je* découlent aussi d'une stratégie de masquage que nous allons découvrir progressivement et qui nous permettra de comprendre pourquoi la distance reste aussi forte dans sa conclusion. Ce tableau indique également l'attitude de Giscard tout au long de son septennat : une distance considérable par rapport à la politique intérieure, à la situation économique et sociale, ainsi que sa propension à se mettre en valeur grâce aux relations internationales. Ajoutons que, conscient de la médiocrité de son bilan intérieur, il ne souhaite pas trop s'attarder sur ce terrain et a choisi de faire diversion en critiquant son adversaire, ce qui explique qu'il se mette à parler de lui-même avec abondance lorsqu'on passe aux questions internationales...

Bien qu'il veuille s'affirmer comme le président potentiel, Mitterrand ne peut négliger celui qui en détient encore le titre : il l'a face à lui et l'ignorer trop ouvertement serait sans doute mal compris du public (on pourrait penser qu'il se dérobe). Il lui faut, dès lors, le disqualifier en y consacrant le minimum de temps, et sans lui laisser la possibilité de répliquer afin de ne pas retomber dans les désastreuses discussions de 1974 sur le bilan du pouvoir en place. Pour cela, il a d'abord verrouillé la situation en imposant les deux journalistes. De plus il évite de rentrer dans les détails, comme il l'avait imprudemment fait sept ans auparavant, donnant ainsi à Giscard la possibilité de ruiner ses démonstrations en le querellant sur ses sources et ses chiffres. Au contraire il postule l'échec d'emblée : *Vous n'avez pas la majorité, vous vous êtes toujours trompé, vous êtes l'homme du passif, la bureaucratie c'est vous, vous avez accepté le chômage, vous avez échoué...* Ce sont autant de constats qui échappent apparemment à la discussion. Ainsi le président sortant se trouve-t-il disqualifié d'un coup par le télescopage de l'argumentation et du jugement. Bien sûr l'efficacité du procédé repose avant tout sur la médiocrité du bilan dont Giscard lui-même paraît conscient. Cela le prive du même coup de ces petits détails qui lui avaient permis d'imposer les corps à corps de 1974 où il avait pu briller de sa compétence. Alors il mendierait presque : « J'ai proposé un programme, critiquez-le ». Et Mitterrand ferme l'issue suivant la même méthode : *Comment imaginer que vous pourriez faire demain ce*

que vous n'avez pas su faire au cours d'un premier septennat.
L'ancien président a beau contester (Il ne faut pas raisonner ainsi,
pas de simplifications abusives, etc.), à chaque fois, il semble se
heurter à un bloc lisse et sans prise. D'autant que, fidèle à sa
stratégie, Mitterrand évite soigneusement de le questionner et ne
s'adresse pas beaucoup à lui. Ce serait entrer dans la spirale dan-
gereuse du tac au tac et, surtout, ce serait reconnaître à l'autre un
résidu d'existence, le sortir du néant où l'on veut au contraire
l'enfoncer.

Dans ce même but, Mitterrand a décidé de jouer plusieurs autres cartes parmi lesquelles l'humour vient en bonne place. En
effet il garde un souvenir cuisant des petites phrases de son adversaire (Vous êtes l'homme du passé, vous n'avez pas le monopole
du cœur...) et il a préparé quelques formules qui sont autant de
réparties à sept ans de distance. Ainsi lui rappelle-t-il son *refrain*
(l'homme du passé) et ajoute : *Entre temps vous êtes devenu*
l'homme du passif. Il se moque de ses tics de langage : *Je sais bien*
la distinction sémantique qui permet d'éviter les mots qui brûlent
la bouche mais le chômage est ressenti comme le chômage et non
comme la demande d'emploi. On peut toujours juger un peu facile
ce genre d'attaque, mais elle ne porte pas à faux : au cours du
débat Giscard emploie peu le mot chômage et parle abondamment
de l'emploi. De même, son adversaire ayant la manie d'utiliser à
tout propos le terme « conduire » (le changement, la politique, la
France...), Mitterrand compare son comportement à celui d'*Un*
conducteur qui vient de verser sa voiture dans le fossé et qui
viendrait me demander de repasser mon permis de conduire[4]. Enfin il souligne son allure de fort en thème : il lui reproche de se
comporter en *juriste compliqué* ou moque son *ton et allure profes-*
soraux... Or s'il y a bien quelque chose que les Français n'aiment
pas c'est qu'on les tienne pour des enfants à qui l'on fait la leçon.
Tout cela est dit sur un ton serein qui en renforce l'effet. Car
l'effet fut grand : les commentateurs ont repris ces formules dans
leurs colonnes et en ont fait leurs titres, le public s'en souvient
longtemps après. Pourquoi un tel impact ? Les analyses de Freud
sur le mot d'esprit et ses rapports avec l'inconscient permettent de

---

4. A trois ans de distance, cette image est une réplique au discours de Verdun sur le
Doubs dans lequel, à propos des législatives de mars 1978, Giscard avait comparé la France
à une automobile que les Français allaient décider de maintenir sur la ligne droite (avec lui)
ou de verser dans le fossé (avec la gauche).

le comprendre. La France a bien ri sans saisir la source un peu trouble de ce plaisir : l'autorité impunément bafouée, ce président que beaucoup supportaient résignés et qui soudain est déboulonné, chahuté sur des aspects réels de sa personnalité. La censure était transgressée par l'humour, seule voie acceptable parce que masquée. Bien sûr Giscard s'y essaie aussi, mais force est de constater que ses petites phrases tombent à plat même quand elles paraissent bienvenues. Sans doute cela vient-il de son attitude générale : il consacre déjà l'essentiel de son temps à critiquer Mitterrand et ses attaques caustiques ajoutent au sentiment qu'il cherche querelle, elles gênent plus qu'elles ne font sourire. D'ailleurs le candidat socialiste, loin d'esquiver, les saisit au bond et les tourne en sa faveur. Par exemple, lorsque son contradicteur lui reproche de gérer « le ministère de la parole », il assume la formule et ajoute : *J'ai rempli mon rôle démocratiquement dans l'opposition... J'ai fait un grand parti qui vous menace aujourd'hui. Donc je n'ai pas perdu mon temps.* Et le sortant ne sourit plus, d'autant que Mitterrand poursuit sur autre chose comme si le dernier mot lui appartenait au même titre que l'avenir. Il se sait hors de portée de son rival. Alors il le plante là et, en prenant garde de ne pas sembler se dérober, il en parle sans s'adresser à lui : les pronoms de la troisième personne *(il, lui, se, son, sa...)*, le nom ou des formules indirectes *(l'autre candidat, mon adversaire,* etc.), parfois même le *votre*, tout lui est bon pour dénouer le dialogue et pour s'adresser aux auditeurs — véritables destinataires du message — par-dessus la tête de l'autre devenu un objet secondaire de la conversation.

En passant ainsi au-dessus de Giscard, Mitterrand ne s'adresse pas vraiment à tous les Français mais à une cible bien déterminée : les électeurs de Chirac dont les voix détiennent la clef du second tour. C'est pourquoi il a décidé de convoquer le principal intéressé à la barre des témoins et de l'utiliser contre Giscard en le citant à tout bout de champ. Il veut imposer cette présence, en quelque sorte physiquement, tout en perdant le moins de temps possible puisqu'il est d'abord là pour parler de lui-même. Or, pour un orateur, il y a mille façons de citer les propos qu'il rapporte. L'usage normal, le plus économique et le plus élégant consiste à inclure la parole rapportée dans le fil de son propre discours. Ainsi procède l'ancien président. Par exemple : « J'indique que le lendemain du premier tour, M. Chirac a indiqué qu'il voterait pour moi ». Ce procédé présente toutefois une grave faiblesse; l'auditeur peut toujours penser: c'est vous qui le dites... Pour éviter cet inconvénient, il faut signifier qu'on s'efface devant une parole étrangère. Dans un texte écrit, on ouvre les guillemets et, à l'oral, on utilise des procédés de disjonction qui opèrent un peu comme l'embrayage d'une automobile: «Vous dites: "je dissoudrai tout de suite"». La chose a l'avantage de la simplicité, mais le danger demeure que, dans le flot du discours, cet embrayage du *vous* au *je* passe inaperçu, ce qui arrive souvent à Giscard comme en témoigne l'oubli, par les sténographes du *Monde*, des guillemets pour plusieurs de ses citations. Ainsi à propos du Projet socialiste qu'il cite de mémoire sans lire le livre pourtant ouvert devant lui. Autrement dit, même pour un auditeur attentif, c'est toujours le président qui parle, et ce qu'il aimerait nous présenter comme la parole de l'autre — pour faire peur aux petits patrons — continue à être reçu comme son propre commentaire, sa propagande. Au contraire Mitterrand, moins sûr de lui ou ayant compris la nécessité de donner un support matériel à la parole rapportée, prend son papier et le lit ou feint de le faire. Cette fiche au bas de l'écran, les yeux du candidat qui la parcourent, son changement de ton, tout est réuni pour imposer l'idée qu'un autre parle par sa bouche. Même quand il ne lit pas, une pause marquée ou un glissement de voix signalent l'embrayage de telle sorte que les sténographes ont gratifié pratiquement toutes ses citations, fort nombreuses, des guillemets d'usage attestant ainsi l'effet produit sur l'auditoire. Curieusement la lecture à l'écran est condamnée par les spécialistes français de la télévision, mais Mitterrand a raison de ne pas les écouter, car, pour donner aux téléspectateurs le sentiment qu'ils entendent un autre, il faut feindre de s'effacer derrière un document qui apporte une sorte de caution matérielle à l'opération. Ainsi pendant quelques instants, sans paraître ratifier ce qu'il rapporte puisqu'il n'ajoute pas son propre commentaire, il peut jouer admirablement des ambiguïtés chiraquiennes; cela aussi fait partie du constat de faillite et il se contente d'en prendre acte. Certes une exégèse un peu rigoureuse montrerait la fragilité des citations de Mitterrand et Giscard s'y essaie parfois en évoquant la situation dans laquelle ces phrases ont été prononcées. Mais cette attitude d'historien est bien faible dans un débat politique. Alors à d'autres moments, il menace: «J'en ai une sous les yeux, je ne la lirai même pas tellement elle est sévère». Ou il admoneste: «Ne recherchons pas les citations du passé dans lesquelles vous vous complaisez». Mais il ne trouve jamais la parade ; il est bel et bien torpillé faute de prendre à son tour ses papiers pour asséner d'autres phrases définitives destinées à impressionner les électeurs flottants, communistes ou chira- quiens. En fait il a probablement omis d'emmener ses notes : le voilà sans munitions face à un adversaire plus retors qu'il ne l'ima- ginait. Et les coups portent. Que ce soit à propos des querelles au sein de l'ancienne majorité, du bilan économique et social du septennat ou de la rencontre avec Brejnev à Varsovie, ce sont Chirac — voire Giscard lui-même — qui censurent Giscard ! Il est probable que Mitterrand veut multiplier les citations chiraquien- nes ou les références au général de Gaulle pour gagner le maxi- mum de voix gaullistes, mais du coup il semble laisser à d'autres le soin de juger le passé pour se consacrer à la défense de son pro- gramme et pour se tourner vers l'avenir. De plus, l'intervention simulée de ce tiers dans le débat brise le tête-à-tête que Giscard veut instaurer avec son adversaire : à chaque point sensible il se trouve devant une ombre et quelle ombre ! Enfin, refusant de polémiquer, Mitterrand impose d'autant mieux, par contraste avec l'agressivité mal contenue de son rival, sa propre image forgée autour du thème de la force tranquille. L'autre tenu à bonne distance, il peut s'adresser directement aux auditeurs.

Ce dernier point semble aller de soi : les deux concurrents se trouvent devant quelques dizaines de millions de Français dont il faut conquérir ou consolider la conviction. Mais justement, voilà leur problème : que savent-ils de ceux qui les écoutent, des atten- tes, des espoirs ou des phobies innombrables et forcément contra- dictoires ? Ils disposent bien des sondages d'opinion, mais ceux-ci peuvent être interprétés de mille manières et nos hommes politi- ques font souvent plus confiance à leur flair, à leur intuition. Ce faisant, plus qu'une stratégie rationnelle de communication, leur comportement laisse transparaître un certain regard sur la France et sur les Français. Une première surprise nous attend ici : logi- quement les téléspectateurs, c'est-à-dire l'ensemble des Français, devraient être les destinataires principaux du message puisqu'il n'appartient pas à l'orateur de choisir ceux qui doivent entendre et d'interdire aux autres de le faire. Or Mitterrand parle très peu des *Françaises* et des *Français* : dans la majorité des cas, il s'agit de désigner *les millions de gens* qui *se reconnaissent* dans sa candida- ture ou qui se *rassemblent* autour de lui. Même en y ajoutant toutes les formes possibles avec lesquelles l'auditoire peut être désigné, que ce soit par des périphrases ou des dénominations particulières *(téléspectateurs, électeurs, concitoyens, peuple...)*, on obtient toujours un total très faible. Mitterrand utilise beaucoup plus la *France* (le *pays*, la *nation*). Il n'est pas le premier à préférer la France aux Français : de Gaulle avait un système sémantique comparable et le même décompte opéré sur les interventions de Giscard aboutit à un résultat presque aussi net. Cela ne doit pas surprendre : pour l'idéologie politique contemporaine, l'électorat et l'expression du suffrage ne sont que des manifestations fugaces d'une réalité — la souveraineté nationale — qui les transcende. Chez Mitterrand, comme chez de Gaulle, cette mise en scène de son dialogue avec la *nation* se double d'un face à face avec l'*Histoire* (qu'il écrit toujours avec une majuscule). Ceci est d'ailleurs confirmé par une autre caractéristique : Mitterrand n'utilise quasiment jamais la nuance particulière du vous qui sous-entend : "Vous qui m'écoutez".

Au sein de la série amorphe que nous formons aux yeux des deux concurrents, les intérêts économiques sont de loin le premier principe de coagulation comme l'atteste l'extraordinaire importance qu'occupent dans leurs discours les mentions concernant les salaires, le pouvoir d'achat, la fiscalité, les droits de succession... Sur ce point, Mitterrand l'emporte nettement : la vision de la société française qui se dégage de son propos équivaut à une juxtaposition d'intérêts et de catégories socioprofessionnelles. Il y a bien sûr les travailleurs, les chômeurs, les salariés mais surtout les petites entreprises, les artisans, les agriculteurs, les pêcheurs, les employés, les cadres... L'insistance du candidat socialiste ne s'explique pas par un marxisme primitif identifiant intérêt économique et comportement politique mais vient, là encore, des leçons tirées de la rencontre précédente. A l'époque, il avait voulu à la fois critiquer la gestion de la droite au pouvoir, défendre un programme minutieusement chiffré, pour combattre l'image d'une gauche ignorante des réalités économiques, et assumer un projet de société autour des grands thèmes de l'exploitation, des monopoles ou de la justice sociale. Bref, c'était trop, d'autant qu'à chaque fois il prêtait le flanc à la contre-attaque : il s'était fait taxer d'homme du passé à cause de son insistance sur le bilan, s'était vu coupé dans ses envolées lyriques (Vous n'avez pas le monopole du cœur), et Giscard l'avait piégé sur le terrain technique à propos du déficit budgétaire, de la TVA sur les produits de luxe ou sur l'origine de l'huile de table... Et surtout, occupé à un discours trop général, Mitterrand avait laissé à son rival la chance de paraître plus soucieux des intérêts particuliers. Sept ans plus tard, il a décidé d'occuper ce terrain. Il feint de s'effacer derrière d'autres en ce qui concerne le bilan du septennat, s'en tient à quelques chiffres incontestables, se fait beaucoup plus bref sur son programme (c'est une affaire de volonté, une autre logique...), et s'installe dans le domaine solide des corporatismes.

La politique internationale illustre parfaitement ce parti pris. Mitterrand ne parle pas tant de l'Europe que des catégories concernées par elle : *éleveurs, agriculteurs, producteurs méditerranéens* ou encore *les pêcheurs venus de chez nous* à qui la Grande Bretagne *ferme ses bancs de pêche*... De même, la politique africaine c'est la *protection des Français de l'étranger* et des militaires *exposés dans leur vie à cause de la Lybie*... Bien sûr le vote gaulliste est l'autre élément de politique intérieure qui le guide dans cette partie consacrée officiellement aux relations internationales. Il appelle Chirac à la rescousse, à propos de l'attitude du président sortant vis-à-vis de l'URSS, et ne manque pas d'invoquer la *grandeur* et l'*indépendance nationales*. C'est également son objectif concernant le Centrafrique, *affaire* qui a *diminué le poids moral et politique de la France*. A chaque fois, il date et localise avec soin ses actes et déclarations, en faveur de ces catégories ou de ces principes, qu'il présente comme son *action au service de la France*. Inversement il parle de son adversaire de manière plus intemporelle et multiplie les petites phrases : avec la Grande Bretagne, dit-il à Giscard, *Vous avez manqué de fermeté, cela vous arrive assez souvent*. Il l'accuse d'avoir adopté, face à la Russie, *une certaine forme de soumission au fait accompli*, d'avoir *dépassé un point limite* avec la *dictature* de Bokassa, etc. Il s'agit donc d'un discours électoral. Ce genre possède quelques ressorts élémentaires : il faut procéder par traits accusés, se valoriser et disqualifier l'adversaire, réduire le monde aux dimensions de l'électorat et identifier la somme des intérêts catégoriels — certes estimables — à l'intérêt national. Cela n'a évidemment pas grand rapport avec les idéaux de la gauche ou avec les positions internationales des socialistes. Mitterrand sait que ceux-là voteront pour lui, bon gré mal gré, et qu'il lui faut conquérir le plus de suffrages possibles à droite. De plus, les sondages lui indiquent que les problèmes internationaux occupent un rang mineur dans les préoccupations des Français ; c'est pourquoi, très logiquement, il a décidé de les traiter en termes de politique intérieure. Qu'il agisse ainsi de façon délibérée, nous en trouvons confirmation dans les premiers mots de sa conclusion, texte évidemment préparé de longue main, où il regrette que le temps lui ait manqué pour parler *Du tiers-monde, de l'Amérique centrale, des drames qui se déroulent au Nicaragua et au Salvador*, ou, plus loin, *Des droits de la femme, des mutations technologiques, des choix de civilisation*, etc.[5]. Une fois le débat achevé, il feint de s'en désoler et consacre trois phrases à rassurer le Billancourt des militants. Autant dire que le cœur et la raison de gauche n'occupent pas beaucoup de place dans cette soirée.

Il ne faut pas en conclure que Mitterrand ou Giscard — puisqu'ils embouchent les même trompettes — ont cyniquement décidé de manipuler les auditeurs. On peut remarquer à ce sujet qu'ils ne font que se plier aux attentes de l'électorat et, plus particulièrement, de la frange hésitante qu'ils se doivent de conquérir pour l'emporter. C'est donc d'abord un portrait d'une partie de nous-même — peu flatteur certes mais fidèle — qu'ils nous renvoient ce soir-là. Une raison plus profonde encore les oblige à se conduire ainsi. Elle a trait à la politique de masse moderne où l'orateur ne peut individualiser son message comme du temps des préaux d'école. Lors d'un débat télévisé, cette situation se trouve poussée au paroxysme puisque tous les électeurs doivent être atteints sans trop heurter les sensibilités contradictoires. Or, nous l'avons dit, les deux orateurs semblent incapables de trouver à cet auditoire un dénominateur commun objectif autre que l'addition d'intérêts corporatifs. Il ne leur reste donc plus qu'à jouer sur la fibre nationale. On vient d'en avoir quelques exemples, mais le même procédé est en œuvre quasiment toute la soirée. Il s'agit d'inclure l'auditeur dans le propos, de le mettre dans le coup, pour le sommer d'acquiescer et de prendre à son compte ce qu'on lui dit. Le *nous* représente le meilleur moyen d'obtenir cet effet d'"inclusion" : utiliser ce pronom signifie que l'auditeur ou certaines tierces personnes partagent l'objet du discours, l'opinion émise, aux côtés de l'orateur. C'est pourquoi Giscard l'emploie plus que Mitterrand : il a décidé de mettre en scène le procès de son adversaire en plaçant l'auditoire dans la position du tribunal dont il se ferait le porte parole. Mais Mitterrand utilise aussi beaucoup la première personne du pluriel et particulièrement quand

5. A la fin du débat Mitterrand laisse deux minutes de son temps de parole à Giscard pour qu'il s'explique sur son hostilité envers les accords de Camp David et sur sa visite à la frontière israélo-jordanienne. Il adresse ainsi un clin d'œil au vote juif et anti-arabe. Ce n'est donc pas un problème de temps, mais un choix délibéré, qui lui a fait écarter certains thèmes de la discussion...

il attaque le président sortant. Ainsi s'interroge-t-il : *Qu'est-ce qui nous laisserait penser que vous pourriez changer ?* Il prend le CNPF à témoin selon lequel, Giscard réélu, *Nous aurions au moins deux millions et demi de chômeurs.* Ou encore il l'accuse d'avoir mené avec la Lybie un *double jeu* qui *nous a fait perdre beaucoup d'autorité dans l'ensemble de l'Afrique.* Parfois le *nous* se transforme en *on*, tournure familière qui adresse une sorte d'appel du pied à l'auditeur et tisse avec lui une complicité aux dépens du rival : *Figurez-vous qu'on l'a remarqué, nous aussi, le choc pétrolier. Ce n'est pas la peine de prendre un ton professoral pour le dire.* Voilà une manière habile de suggérer que Giscard prend les Français pour des enfants et de les faire sourire selon un mécanisme dont nous connaissons maintenant les ressorts profonds. Naturellement le verdict sera lui aussi collectif : *Aucune de vos réponses ne peut nous satisfaire. Vous vous êtes toujours trompé, on ne peut plus vous croire,* etc. Autrement dit, quand ce n'est pas Chirac qui condamne Giscard, l'ensemble des Français est convoqué pour prendre le relai.

On comprendra que l'usage le plus avantageux du *nous* consiste à repousser autant que possible les frontières du collectif auquel on prétend donner voix. Examinons un instant la différence séparant "l'agriculture française" de "notre agriculture" : alors que la première expression se contente de désigner un secteur d'activité, dans la seconde, la magie du possessif rend chacun propriétaire indivis de l'économie nationale même si, comme les neuf dixièmes des Français, il n'a rien à y voir et n'y entend pas grand chose. Dans le premier cas, on risque de n'intéresser que les agriculteurs ; dans l'autre, on convoque de son bord l'ensemble des auditeurs sans même qu'ils en aient conscience. C'est pourquoi, lorsqu'on examine la répartition de ces pronoms au cours de la soirée, on constate que les deux adversaires en usent parallèlement comme s'ils étaient inconsciemment tombés d'accord pour nous appeler à leur rescousse en face de certains problèmes, c'est-à-dire la situation économique et sociale envers laquelle, malgré leurs affirmations, ils éprouvent probablement un sentiment d'impuissance qui transparaît dans ce réflexe d'inclusion. Mais c'est à propos de l'énergie que la première personne du pluriel atteint son apogée. L'objectif proclamé est de « Nous libérer de la contrainte humiliante et inquiétante des producteurs de pétrole », selon les mots de l'ancien président qui n'hésite pas à rappeler qu'il s'agit du Moyen-Orient. Vous avez dit pétrole ? Justement Mitterrand veut, lui aussi, assurer *notre* indépendance énergétique. Il *nous* rassure : *nous* aurons à *notre* disposition autant de tonnes équivalent pétrole qu'avec Giscard mais plus intelligemment. L'or noir agit un peu comme le révélateur sur la plaque photographique. Ce réflexe inclusif suggère le seul trait unissant, dans l'esprit des deux orateurs, les gens qui les écoutent : la fibre nationale, chauvine et xénophobe qu'il faut indirectement capter à leur avantage mutuel. Telle est la raison pour laquelle Mitterrand accole le possessif *notre* ou *nos* à des termes comme entreprises, usines, industrie, diplomatie, agriculteurs, pêcheurs, compatriotes, soldats... et, bien sûr, *indépendance nationale*. Ce n'est plus de la communication mais une sorte de communion autour des vieux thèmes nationaux toujours vivants dans l'inconscient collectif. Voici la principale raison pour laquelle les propos de Mitterrand sont souvent assez intemporels, intemporalité croissante au fur et à mesure que le débat s'avance, comme si, le principe de son élection une fois posée, le futur président nous conviait à communier plus dans le discours que dans la réalité de l'après dix mai.

Le temps joue en effet un rôle essentiel dans le langage politique. Il montre d'abord où se situe l'orateur. Par exemple le présent grammatical semble être le temps de prédilection de Mitterrand : près des deux tiers de ses verbes sont au présent contre la moitié chez son adversaire. De même il utilise plus le futur et moins le passé que l'ancien président. Cette distribution ne manque pas d'être suggestive, mais il y a mille et une manières de se situer sur le calendrier. Le futur, comme le présent ou le passé, peuvent être plus ou moins bien déterminés, et c'est l'ancrage dans le temps physique qui donnera sa véritable tonalité au discours. Par exemple, quand Mitterrand déclare : *C'est la gauche qui nationalise et la droite qui étatise*, dans son esprit il s'agit d'une loi naturelle de la politique française qui échappe au temps. Et l'on sentira toute la différence séparant ce propos d'une formule comme : *Je rencontrerai les partenaires sociaux branche par branche sitôt que je serai élu président de la République*. L'action envisagée ici se déroulera avec des acteurs identifiables, elle est inscrite en un point précis du futur. Or Mitterrand se garde bien de donner ces précisions au sujet de problèmes comme les nationalisations : il se contente d'affirmer sa volonté de nationaliser en évitant soigneusement de dire quand et comment. Bien au contraire, dans les deux passages qui ont trait à cette question, les seuls propos temporalisés concernent le précédent de 1945 (le général de Gaulle étant évoqué à deux reprises) et, surtout, les garanties qu'il donne à son auditoire sur le thème : *Tant que je serai responsable, la liste* (des entreprises à nationaliser) *est une liste limitative.* Pour le reste, nous avons droit à des considérations sur la nation, les monopoles, la défense de la concurrence et des petites entreprises, mais il ne fournit aucune indication sur le calendrier des opérations et leurs modalités pratiques, sur la gestion des groupes ou leur lien avec le marché mondial... La généralité même du propos, son irréalité voulue, le fait que le *je* se fasse plus discret, tout concourt à conférer à ces passages une teinte théorique, distanciée et dédramatisée. Le futur se présente ici comme le temps de l'utopie, non comme la réalité de demain. Mitterrand ne met pas son drapeau dans sa poche, il permet à ceux qui ne veulent pas y croire de se conforter dans leur sentiment. En effet, sans même en avoir conscience, nous savons reconnaître les caractères du discours idéologique et, par un vieux fonds de scepticisme, on ne prend plus ces propos au pied de la lettre.

En fonction de cet ancrage temporel, on peut classer les interventions de Mitterrand en trois catégories :

— D'une part le discours proprement dit où le temps joue de façon intérieure : il permet d'enchaîner ce qui a été dit avec ce qui va suivre (*J'ai dit tout à l'heure, nous y reviendrons...*). Quel que soit le temps grammatical, nous sommes toujours dans le discours. La preuve en est que Mitterrand emploie indifféremment le passé, le présent ou le futur (*Vous dites* au lieu de *vous avez dit,* etc.) pour parler des prises de position, des programmes... Dans son esprit, l'ensemble de l'affrontement électoral appartient à l'ordre du discours. Or, sur cinq phrases qu'il prononce ce soir-là, pratiquement quatre se situent dans ce vaste présent : pour le futur président, le discours électoral se présente plus comme une fin en soi que comme un moyen. Cet homme paraît enfermé dans un univers discursif. Un seul temps possède une certaine matérialité, c'est celui des échéances électorales et politiques, principales occasions où ses propos sortent du discours proprement dit.

— D'autre part en effet, le temps chronique, celui du calendrier, ne joue réellement que pour l'avant et l'après campagne, le dix mai représentant dans son esprit la borne où l'on bascule du présent au futur. Ensuite nous n'avons droit qu'à deux repères : les législatives, très précisément datées, et *pendant mon mandat.* Lorsqu'il en parle, il persiste souvent à utiliser le présent; un présent d'anticipation qui sert à donner au probable plus de poids, comme aiment à le faire les auteurs de science fiction pour nous glisser un frisson dans le dos, et les hommes politiques pour mobiliser notre vote sur la certitude de lendemains qui chantent. Mais, grâce à des petites formules comme *après mon élection*, Mitterrand sort malgré tout du discours pour entrer dans le récit du passé ou du futur qui a nettement sa préférence.

— Enfin il est un troisième temps qui, lui, se détache de la temporalité ordinaire. Mitterrand s'en sert d'abord pour peindre les caractères et les tempéraments, pour mettre en scène l'affrontement de deux personnalités ou plutôt deux essences. Lui-même rempli d'une force contenue et paternelle, ferme mais préoccupé des hommes, sage sans la froideur de cœur de l'autre, homme d'idées sans sectarisme, volontaire et réfléchi. Il balance soigneusement ses interventions autour de quelques thèmes qui s'équilibrent mutuellement et qui répondent, trait pour trait, au portrait de Giscard qu'il nous suggère. Lui-même est *légaliste*, l'autre *abuse des institutions*. Lui est solide, l'autre *manque de fermeté*. Il est clairvoyant, l'autre s'est *toujours trompé*. Giscard a *démoralisé le pays*, lui veut *nous réconcilier avec l'avenir*; il a *confisqué le pouvoir*, lui veut *nous le rendre*. L'autre *divise les Français*, lui *les rassemble*, etc. Naturellement Mitterrand déduit souvent ces traits de caractères d'exemples concrets, mais la généralité qu'il en tire les dépasse singulièrement. Il y a un saut du cas au principe explicatif, de la singularité à la loi universelle qui est très caractéristique de l'idéologie politique. La signification profonde de ce combat entre deux archétypes réside pour Mitterrand dans l'affrontement entre deux "réalités" qui ne se situent pas sur le même plan. L'une est datée, située, elle *se termine maintenant*: c'est le règne giscardien, sorte de parenthèse qui se referme. L'autre est potentielle, *possible*, selon le terme qu'il emploie à plusieurs reprises. Ce possible ne commence pas le dix mai au soir, il transcende l'événement et ses développements futurs puisqu'il appartient à l'*Histoire*. Il s'agit bien de l'acteur principal du discours mitterrandien, mais il est difficile à situer, tout au moins dès que l'on quitte le terrain des élections. Mitterrand ne nous dira pas son nom, il nous indique plutôt ses incarnations au premier rang desquelles il figure lui-même à la tête du parti socialiste et du *mouvement populaire*. Est-ce le socialisme? Ce soir-là, comme tout au long de sa campagne électorale, il se garde bien de le dire clairement ou de situer la chose dans le temps et dans l'espace. Nous avons là une des clefs du fameux "flou" dont on accuse Mitterrand. Ce type de discours échappe au temps de notre calendrier ou, plutôt, le rapport se trouve inversé : l'événement existe en fonction de cette essence qui le fonde et lui confère son sens profond. L'idéologie qui transparaît ici est donc caractérisée par un manque : elle se présente déliée du temps physique. De plus, elle dissimule son origine spécifique : la montée d'un courant politique et sa marche au pouvoir. Nous avons là une autre caractéristique du discours politique contemporain, immense jeu de théâtre où les acteurs s'avancent masqués.

Au cours de ce débat, il y a donc des moments où Mitterrand se situe clairement et d'autres où il a tendance à se travestir. Cela peut se représenter par un graphique, sorte de courbe de température, figurant les variations du comportement suivant les problèmes abordés. Pour les deux adversaires, le profil en est simple : c'est pratiquement celui du *je* présenté dans le graphique I. La concommitance de ces phénomènes s'explique aisément : on peut les comparer aux mesures de latéralité effectuées par les psychologues. Placés sur des terrains familiers, l'individu sait se reconnaître et s'orienter, il peut assumer sa situation, s'y conduire avec aisance, sans avoir besoin de se protéger en s'inventant une conduite. Au contraire, dans une situation inconnue, privé de points de repère, il aura tendance à se masquer et à recourir à des artifices pour tenter de donner le change. Alors la parole se désincarne, elle se fait stéréotype, idéologie. Par exemple, sur le terrain politique, Giscard se raccroche à la constitution, à la tradition parlementaire pourtant bien étrangère à la cinquième République, à la peur de l'avenir et à l'anticommunisme, comme pour s'en faire autant de remparts. Il agit de même en matière économique et sociale et ne se démasque qu'en politique internationale : là, enfin, il est sur une terre familière, aimée, il redevient lui-même et dit *je* sans grande retenue. Tellement assuré de sa supériorité, il ne prend pas garde aux nombreuses chausses-trappes que lui pose Mitterrand à propos de l'agriculture, de la pêche, de l'URSS ou du Moyen-Orient. En revanche, ce dernier se trouve dans une situation inverse, mais encore plus marquée, puisqu'il remporte de très loin la palme du discours le mieux ancré dans le temps et dans l'espace lorsqu'il traite du processus électoral, et celle du texte le plus intemporel de la soirée avec sa conclusion. L'économie semble être le seul domaine où ils adoptent tous deux un comportement semblable : leurs propos s'ancrent peu dans le temps comme si un même fatalisme les habitait malgré leurs dénégations et leurs accusations réciproques.

Certes il y a aussi dans ces comportements une affaire de stratégie. Celle qu'a adoptée Mitterrand paraît assez habile puisque, à la fin de la première partie, ayant imposé l'idée qu'il peut être élu et que l'alternance jouera sans vide du pouvoir, il ne lui reste plus qu'à en garder le bénéfice en faisant bonne figure et en résistant calmement aux assauts de son rival sans se laisser déséquilibrer. On en verra la preuve dans la répartition des temps de parole : en 1974, Mitterrand était constamment en avance sur Giscard qui le contraignait à brûler de précieuses minutes sur les questions choisies par lui. En 1981, la situation est inverse : Giscard parle d'abondance et le candidat socialiste se montre beaucoup plus économe. Mais il y a aussi dans ce phénomène un aspect qui n'est pas voulu et qui révèle la personnalité profonde de Mitterrand : cet homme est un animal politique au sens étroit du terme. Les institutions, les partis et la mécanique électorale, voilà son équation personnelle. Sur ce terrain, il sait parfaitement où il va et sent la victoire à portée de sa main. Il a tout prévu, à commencer par le tour suivant — les futures législatives — dont il décrit en détail les étapes, le calendrier et surtout le résultat prévisible. Ensuite ce n'est plus vraiment son affaire : s'il le pouvait, il serait bien parti, et il n'habite plus beaucoup son discours qui perd pratiquement tout repère dans le temps. Le saut est très brusque puisqu'en passant des élections à l'économie, les propos de Mitterrand perdent près des deux tiers de leurs marques temporelles, ce qui donne à ses positions économiques et sociales un caractère théorique, voire utopique, que ne manque pas de relever son contradicteur et dont nous avons vu le ressort profond à propos des nationalisations. Dans ce passage du débat, le futur président se contente d'affirmer sa *volonté* de lutter contre le chômage, de relancer l'économie, d'aller vers la croissance, d'assurer l'indépendance énergétique... Il ne nous parle vraiment de l'avenir que pour nous rassurer, car il connaît bien les Français : ils aiment rêver, mais pas à leurs dépens. De telle sorte que, à côté de l'intemporalité de son projet économique et social, il y a quelque chose de concret et de fortement assumé : ce sont les restrictions. Nous avons déjà vu comment la seule certitude que l'on peut retirer de son discours sur les nationalisations, c'est que celles-ci ne seront pas des *étatisations*. De même les 35 heures seront réalisées *sans perte de pouvoir d'achat*, le SMIC sera fixé après *consul-*

tation des partenaires sociaux, la pré-retraite ne sera pas *imposée,* l'impôt sur la fortune ne frappera pas *l'outil de travail* des entrepreneurs, des agriculteurs ou des commerçants... Son programme ne se matérialise vraiment que pour garantir les intérêts de la quasi-totalité des auditeurs, le reste appartient à un ordre différent, il a l'irréalité de l'utopie ou, tout au moins, il s'habille ainsi.

Tout le discours de Mitterrand n'est donc pas intemporel. Un petit quart de ses phrases se trouvent clairement situées. Elles sont inégalement réparties au cours de la soirée, apparaissant par endroits comme autant de flèches, de panneaux indicateurs ou de petites boussoles qui dessinent l'état d'esprit de l'orateur. Pour résumer cela nous avons repris la distinction ternaire, avant-maintenant-après, et nous avons classé les marques temporelles suivant qu'elles s'appliquent à celui qui parle ou à l'adversaire. On obtient ainsi le schéma temporel de la soirée. Giscard est massivement situé dans le passé aussi bien par lui-même que par Mitterrand. Cela ne peut surprendre si l'on songe que l'ex-président, plaidant pour la continuité, se doit de paraître assumer sa gestion passée. En réalité, nous savons qu'il s'efface les deux tiers du temps et qu'il préfère parler de l'autre. C'est la raison pour laquelle, si les deux candidats situent plutôt Mitterrand dans le futur, Giscard le fait avec beaucoup plus d'insistance encore que l'intéressé lui-même. On imagine tout le bénéfice que Mitterrand tire de cette situation : le voilà installé exactement où il voulait, au centre de la soirée, ayant seul en charge notre avenir. De son côté, il a adopté une attitude simple : vous êtes le passé et moi le futur, donc je parle de moi. Il peut alors s'installer dans le vaste discours de la campagne, moduler intelligemment ses propos, entre un minimum d'anticipations rassurantes et un maximum de formules générales peu temporalisées, afin de laisser l'auditeur libre de les imaginer pour le lendemain comme pour le long terme — où par définition nous serons tous morts — suivant qu'il aura envie d'y croire ou non. De ce fait, la grande majorité des marques temporelles sortant du vaste présent électoral se trouvent dans la bouche de Giscard qui, croyant mobiliser la "réalité" à son avantage, ne fait que s'y engluer en comparaison de Mitterrand qui évolue sur les hauteurs. N'en déduisons pas cependant que ses propos sont plus idéologiques que ceux du président sortant, car il a choisi la simplicité : il ne sort pas beaucoup de son schéma et se refuse obstinément à examiner les propositions de l'autre qu'il rejette impitoyablement dans le passé. Les choix contradictoires des deux rivaux amènent donc une assymétrie dans le débat. Chez Giscard, un « moi » fortement situé fait le procès d'un « vous » plus discursif, ce qu'il résume d'une formule (Vous gérez le ministère de la parole, moi j'ai géré la France). Par contre, en moyenne dans le discours de Mitterrand, c'est un *moi* intemporel qui s'oppose à un *vous* mieux situé (dans le passé révolu).

Ainsi découvrons-nous le statut particulier de Mitterrand dans son propre esprit : ce n'est pas un candidat qu'il nous donne à voir. Alors que Giscard n'a fait que passer, révocable et éphémère, lui-même se présente comme s'il était taillé dans le marbre, inscrit dans l'histoire, l'archétype de l'homme d'Etat dont la légitimité supérieure échappe à la contingence des événements. Le suffrage universel n'est pas la source de cette légitimité mais son aboutissement logique, il ne fait que la ratifier. C'est pourquoi, au début du débat, contrairement à la loi générale, Mitterrand se situe remarquablement dans le temps et en abstrait son adversaire présenté comme congénitalement illégitime. La chose est également très claire dans les conclusions. Alors que Giscard conclut en faisant de l'élection une affaire de choix entre deux hommes, Mitterrand termine en opposant un court récit à un long discours. Le récit porte sur l'attitude de Giscard (ses observations grondeuses et professorales), son échec constaté en quelques phrases brèves et définitives illustrées par une image (la voiture dans le fossé) dont nous avons dit l'importance. C'est *La politique du passé qui s'achève maintenant* à laquelle va se substituer celle qu'il incarne et qui fait l'objet du long discours dans lequel le *je* et la temporalité sont quasiment absents. Le sujet principal en est le *il* impersonnel, renforcé du *ça*, qui posent l'action future dans l'ordre des choses (il y a), de la nécessité (il faut) ou de l'obligation (cela doit). *La liberté* est l'autre grand sujet de cette conclusion. Le futur président y associe *l'école, le travail, la démocratie, la France, l'Histoire* et enfin le *rassemblement des Français*, thèmes qui ont une profonde résonnance bien au-delà de la gauche. Il est donc logique qu'il s'efface au maximum afin de nous laisser entendre que, le dix mai, nous allons nous débarrasser de la contingence pour retrouver notre identité — celle qui nous vient de 1789, 1848, 1936 ou de 1945 — pour écrire une nouvelle page de notre épopée nationale.

Cette mise en scène de la lutte entre le contingent et le profond, entre l'apparence et l'essence, ordonne tout le discours de Mitterrand. Pour l'imposer sans jamais l'énoncer ouvertement, il joue de l'infinité des ressources de la langue, ressources qui nous sont habituellement cachées tellement elles adhèrent à nos habitudes, à notre langage. Parmi ces ressources, l'aspect des verbes tient une place de choix : on a là un véritable baromètre où s'inscrit l'état d'esprit de celui qui parle, la relation qu'il établit avec l'interlocuteur, la façon dont il envisage la réalité.

Sur ce baromètre, il y a d'abord les situations de calme où rien ne semble bouger parce que le discours fige toute chose à une place et dans un aspect dont il affirme l'immuabilité. Lorsque Mitterrand dit *Je suis un démocrate, je suis un socialiste* ou *je suis né légaliste,* nous sommes mis en face d'une situation accomplie, d'un état du même type que "Je suis né le...". Bien sûr on sait que les deux choses ne sont pas de même nature, mais ce qui importe ici c'est la technique oratoire consistant à envisager les caractères, les opinions ou les dispositions à agir comme des états-civils : quelque chose d'attaché à la personne dès son premier jour et qu'elle ne perdra qu'avec la vie. L'aspect très personnalisé de l'élection pousse les deux adversaires à se transformer ainsi en allégories, en archétypes figurant le bien et le mal : il leur suffit d'utiliser un verbe d'état et de ne pas dater. Le procédé permet de présenter des choses aléatoires sous forme d'évidences, de données naturelles, allant de soi. Quand Mitterrand affirme : *Mon gouvernement sera constitué par ceux qui m'auront approuvé,* cela revient à dire que ce n'est pas lui qui choisit les ministres, mais eux-mêmes qui se désignent, à lui et à l'opinion, en le soutenant. Pourquoi ce curieux gouvernement qui tombe du ciel sans formateur avéré ? C'est que la phrase citée se trouve dans un passage où il évoque le problème de la participation communiste : ainsi laisse-t-il entendre que les communistes n'entreront pas tout de suite au gouvernement — puisqu'ils ne l'ont pas approuvé — tout en n'écartant pas l'hypothèse pour un avenir plus lointain. D'où la forme impersonnelle qui efface ses choix propres et lui permet de ne rien affirmer clairement. Les communistes peuvent conserver espoir, les anticommunistes aussi, et Mitterrand de conclure : *Si le PC et le PS sont d'accord, il appartiendra aux Français de choisir, c'est-à-dire que ce sont les Français qui auront le dernier mot.* Magie des verbes être, avoir et de leurs dérivés. Ils naturalisent l'action et placent tout dans un ordre si parfait, si naturel, qu'il n'y a plus rien à dire. En quelque sorte, ils établissent une égalité algébrique entre les choses — sur le modèle A = B — sans que la volonté de celui qui énonce le fait y apparaisse pour quelque chose. Cependant on ne doit pas généraliser cet exemple et en conclure que Mitterrand se masque ainsi tout le temps. Il le fait aussi clairement à un autre moment : on aura deviné qu'il s'agit des nationalisations. Aurait-il trompé son auditoire sur ces deux points cruciaux ? Une lecture attentive révèle sans ambiguïté ses intentions : il a simplement tendu une perche à tous ceux qui voulaient bien se leurrer eux-mêmes. Etant donné les problèmes en question, cette attitude confirme la stratégie de masquage adoptée par Mitterrand, mais elle reste l'exception. Par contre Giscard, lorsqu'il parle de lui-même, utilise systématiquement des verbes accomplis comme si, pour présider encore sept ans, il lui suffisait d'être et non pas d'agir, comme s'il était naturel qu'étant là, on le gardât. Il semble d'ailleurs que Mitterrand saisisse cette caractéristique de son rival, car il renchérit et, quand il en parle ou feint de s'adresser à lui, il recourt à un maximum de verbes d'état, bien sûr au passé, comme s'il disait un éloge funèbre ou une épitaphe : "1974-1981...". De ce fait, une sorte de consensus semble s'établir entre eux pour placer Giscard du côté de l'accompli (être ou avoir) et pour en exclure Mitterrand qu'ils situent vers la tension, le faire ; ce qui ne signifie pas, bien sûr, qu'il soit considéré comme allant réellement agir, mais que son essence est le mouvement.

Alors l'aiguille de notre baromètre bouge. La masse d'air semble se déplacer grâce à l'irruption de ce verbe indiquant une action et non plus un état. Et ces moments concernent donc pratiquement tous le candidat socialiste, dans ses interventions comme dans celles de Giscard. Certes bien souvent, ce faire se réduit à *dire, indiquer, assurer, affirmer...* C'est quasiment la seule action que Giscard consent à assumer : chez lui « J'ai agi » signifie ordinairement « J'ai parlé ». Mais de la part de Mitterrand quoi de plus normal, pour l'instant, puisqu'il n'a que sa parole à nous offrir ? Au cours de la soirée, il utilise constamment le même schéma : *J'entends dire que je veux agir* (pour ceci ou contre cela). Cependant, dès que l'on quitte les élections, la fermeté de l'intention est affirmée avec plus de clarté que le point d'application de cette action future. Il se contente généralement de rappeler qu'il a *déposé un programme*, qu'il a *pris des engagements, donné des assurances...* Mais, au fond, peu importe ces restrictions : sur le coup, il est naturellement impossible de les déceler. Qu'il écoute le président ou le candidat socialiste, l'auditeur éprouvera donc le même sentiment: Giscard c'est l'être, l'accompli et Mitterrand c'est l'action, le mouvement, la volonté. Evidemment ce mouvement sera chaos où progrès suivant qu'on prêtera l'oreille à l'un ou à l'autre. De même, il a plus souvent l'apparence d'une pétition de principe que d'une action réelle, mais l'auditeur ne peut douter de son importance puisque nos deux orateurs sont d'accord là-dessus!

Plus des deux tiers du débat nous donnent donc à voir un seul être en mouvement. Il s'agit de Mitterrand dont le rôle ou la place futurs vont être définis surtout à l'aide de verbes d'action. Ordinairement cela ne suffit pas et il faut y ajouter un autre élément — souvent un auxiliaire — pour indiquer la manière dont est envisagée l'action. Ces multiples combinaisons peuvent être rassemblées en cinq groupes suivant que le rôle ou l'action seront envisagés sous l'angle de la volonté (vouloir), du droit (devoir), de la possibilité (pouvoir), de la connaissance (savoir), de l'obligation (falloir), ou au contraire de leur absence grâce à la construction négative (ne pas ... faire). Ces groupes sont nommés "modalités": ils indiquent la place que s'assigne l'orateur, la partie qu'il entend jouer ou veut voir jouer aux autres. Souvenons-nous de "Il faut lutter contre le chômage" et de "Je veux lutter contre le chômage". Dans le premier cas, il s'agit d'une obligation qui n'a ni auteur avoué ni destinataire connu, elle engage tout le monde mais personne en particulier. Ainsi parle l'ancien président avec cette nuance que, le propos ayant pour but de le faire briller, il va s'y glisser sous la forme du constat préalable (Je note qu'il faut...). Lui-même n'est jamais impliqué individuellement dans une action: il a pris une distance proprement incalculable par rapport à notre univers de rivalités politiques, de chômage et d'inflation... Par contre, lorsqu'il parle de Mitterrand, il mobilise l'ensemble des modalités, souvent sous forme négative, pour suggérer l'impossibilité, l'impuissance, le non-droit ou la méconnaissance. Sa thématique repose donc sur l'opposition entre l'accompli (J'y suis, j'y reste) et l'inaccompli (Vous ne pouvez être élu puisque...). Au fond, le schéma de base réside dans la célèbre formule "Moi ou le chaos", elle-même dérivée de ordre/désordre, qui, faute de pouvoir être exprimée ouvertement, doit se suggérer au moment même où l'on prétend analyser la situation objectivement et sans passion. Il s'agit d'un procédé systématique que le président sortant utilise avec du talent mais à contretemps puisque, à l'encontre de 1974, Mitterrand prend la balle au bond et assume la même idée en la développant à son avantage : moi je suis le mouvement (le faire) parce que l'avenir m'appartient ; vous êtes l'être, l'avoir, le figé parce que déjà dans le passé : c'est pourquoi Mitterrand va répétant *Je veux m'attaquer au chômage* (il suggère même qu'il peut le résoudre, mais se garde de l'énoncer clairement). Certes il y a souvent cette curieuse réfraction dont nous parlions plus haut, le sujet de la lutte devenant *mon programme, mon gouvernement, le président de la République*, voire *nous*, mais, par contraste avec l'absence d'implication de Giscard, celle de Mitterrand paraît d'autant plus ferme qu'elle se trouve indirectement attestée par la fiction malheureuse (l'élection de l'autre) que Giscard a placée au centre de son discours.

Enfin, un usage plus ou moins intense des modalités donne la température du discours. Un propos calme en est économe parce que son auteur est en paix avec lui-même, avec les autres et avec le monde. Le 5 mai 1981, ce n'est pas le cas de Giscard ni de Mitterrand contrairement à ce que laisse entendre son slogan électoral. En effet leurs interventions sont extraordinairement riches en modalités. Cela peut tenir à la tension qui les habite et qu'ils contiennent à grand peine ; cette profusion étant produite par le heurt des ambitions rivales, un peu comme le choc de deux silex provoque des étincelles. Un sondage opéré sur leur précédent débat confirme cette impression mais indique aussi que les étincelles étaient tout de même moins nombreuses alors que l'empoignade semblait plus chaude. L'explication réside probablement dans la nature assymétrique du débat de 1981 où les deux tensions de sens opposés se sont concentrées sur un pôle unique, le candidat socialiste, produisant une sorte de feu d'artifice à la manière d'un court-circuit. Les figures du tableau II symbolisent ce phénomène. Elles sont obtenues en superposant les deux discours comme on le fait avec des documents dont on cherche à lire les différences par transparence. Nous avons sous les yeux une véritable carte de la psychologie des deux rivaux.

On le voit, Giscard a choisi de nier parce qu'il parle de l'autre. On aura également remarqué qu'il paraît hanté par le savoir (positivement et surtout négativement). Bref, Giscard dit à Mitterrand : "Il ne faut pas que vous soyez élu parce que vous ne savez pas, vous ne devez pas, vous ne pouvez pas faire..." Et celui-ci répond : "Après le 10 mai, je pourrai faire ce que je veux". C'est pourquoi il préfère utiliser des formules comme *après mon élection* ou *élu président...*, formules qui lui évitent le conditionnel :

A. Modalisation du discours de Giscard d'Estaing

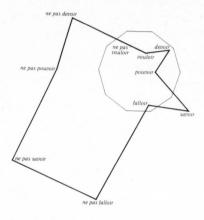

B. Modalisation du discours de Mitterrand

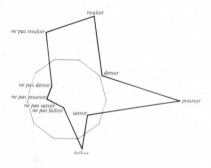

Tableau II : Le choc des subjectivités *

* Le recensement a porté sur les cinq verbes modalisateurs, leurs transformations négatives ainsi que leurs multiples synonymes (ainsi pour vouloir : j'entends, je compte, j'ai envie... ; pour devoir : avoir le droit, l'obligation, interdire, permettre, etc.). Soit plus de 500 apparitions. Le polygone en traits gras symbolise les emplois de chacun des concurrents par rapport à son adversaire représenté en traits maigres. Les points ont été reliés entre eux pour donner une lecture immédiate : un sommet à l'intérieur du cercle de référence indique que l'orateur étudié emploie moins la modalité en question, il s'en désintéresse relativement. A l'inverse, les points les plus éloignés, à l'extérieur du cercle, signalent l'endroit où s'investit la subjectivité de celui qui parle. Ce tableau indique donc que Mitterrand préfère *pouvoir*, qu'il emploie presque deux fois plus que Giscard puis *vouloir*, *ne pas vouloir* et *falloir*. Par contre, le président sortant, lui, privilégie les emplois négatifs de falloir, savoir puis devoir et pouvoir. Savoir est la seule modalité positive que Giscard utilise plus que Mitterrand. (Tableau extrait de "Le débat Giscard-Mitterrand", *art. cit.*, pp. 978-979).

dans son esprit la question peut être considérée comme réglée et il l'avoue ainsi malgré lui.

Ces emplois très typés s'expliquent à la fois par les choix stratégiques qu'ils ont effectués et par de très profondes différences de psychologie. Mitterrand a choisi la logique simple du pouvoir : l'élection lui donnera compétence pour agir comme il l'entend. C'est pourquoi il se situe aussi massivement dans le discours. En attendant les conditions de sa réalisation, la volonté ne peut que s'exposer. A la limite, une seule référence pourrait lui suffire : le dix mai. De plus, en court-circuitant l'autre, dont il a l'habileté de sembler laisser à Chirac le soin d'instruire le procès, il peut atteindre son auditoire sans avoir besoin de recourir à autant de procédés inclusifs que son adversaire. Nous assistons alors à une sorte de libération : la victoire à portée de la main, le domaine de la liberté et de l'action s'ouvre devant lui. Il y découvre d'abord l'immense champ de sa réalisation personnelle à travers la conquête du droit de dire *Je veux* sans plus avoir à se masquer. A l'inverse, Giscard raisonne suivant la logique de l'aptitude. Selon lui, pour accéder au pouvoir, il faut au préalable faire la preuve de sa compétence. C'était évidemment le sens de son slogan : « Il faut un président à la France » sous-entend que, contrairement à lui-même, Mitterrand ne possède pas le savoir qu'exige préalablement l'exercice du pouvoir. Encore faut-il apporter la preuve de cette incompétence. L'idéal serait qu'elle vienne de la bouche même de l'autre. Alors Giscard harcèle son rival de questions sur les communistes, le déficit budgétaire ou même le cours du mark lors de l'incident, que nous évoquions au début de ce chapitre, et dont on comprendra maintenant combien il éclaire tout le débat, dévoilant cette logique de la leçon qui habite Giscard et la façon dont Mitterrand, en la refusant par principe, la rend caduque et détruit tout l'édifice. Car il faut se souvenir que le véritable destinataire est l'auditeur, donc l'électorat. Il n'est pas interdit de penser que l'ensemble du discours giscardien vise en réalité à conjurer ce que les Français risquent de faire le dix mai. C'est pourquoi il utilise autant le procédé inclusif non seulement pour prendre à témoin, mais, bien plus, pour mettre en garde ou admonester la fraction de son électorat qu'il sent lui échapper. Telle est la fonction profonde de "savoir" surtout lorsqu'il le couple avec "falloir" (Il faut savoir, les Français doivent savoir, etc.). Ainsi l'ex-président oppose-t-il à ce qu'il pressent être, au-delà de son adversaire, le désir de la majorité des électeurs, le principe de réalité et son corollaire, la censure du désir. Bref, une sorte de complexe du premier de la classe habite Giscard : il veut nous faire comprendre que, dans un bon système méritocratique comme le nôtre, on doit choisir le meilleur et écarter l'incompétent. Mais, au-delà de ce message, Giscard mobilise une dernière fois l'autorité de la fonction présidentielle pour se conduire en père fouettard et ramener ses enfants égarés dans le droit chemin.

Mitterrand a justement décidé d'investir le discours du désir, de communier avec l'auditoire sur le thème du changement qui avait si bien réussi à Giscard sept ans auparavant, et il ne lui est pas difficile de faire sauter la maigre censure que dresse le sortant. Tout montre qu'il s'y est préparé avec soin, mais généralement il lui suffit de donner l'exemple en refusant que l'autre puisse se poser en donneur de leçon. Le tableau II indique en effet que Mitterrand s'intéresse à une seule modalité négative (ne pas vouloir). Il *ne veut pas* que Giscard l'entraîne dans des *discussions de juristes, qu'il l'interrompe, qu'il lui parle sur ce ton, qu'il déforme ses propositions, qu'il ennuie les Français...* Au total le message qu'il délivre ce soir-là est parfaitement clair : vous pouvez renvoyer Giscard au néant dont il n'aurait jamais dû sortir, vous pouvez transgresser l'interdit, tuer symboliquement le père, et le faire sans risque puisque vous allez y gagner un chef bien meilleur : âgé, sage, tranquille mais fort aussi... Bref, toutes les qualités du bon tuteur qui manquent à Giscard.

Car fondamentalement, il nous a été donné d'assister, entre 1974 et 1981, à la transformation de l'image de chef dans notre société en crise, transformation qui se lit aisément dans la thématique des affiches électorales. On est ainsi passé du père camarade, moderne et efficace au père traditionnel ranci et expérimenté qui saura vraiment nous prendre en charge et nous libérer de l'angoisse. Bien sûr ce ne sont pas des valeurs de gauche, mais les thèmes de gauche ont tenu une place tout à fait mineure dans la campagne électorale de Mitterrand. Naturellement ce glissement n'a pas affecté toute la société française : il a manqué un million d'électeurs à Giscard, principalement des gaullistes pour qui l'image de Mitterrand s'est incontestablement superposée à celle du général. Cependant, qui peut douter de l'importance de ce transfert symbolique, pour les socialistes d'abord, et, au-delà, pour la majorité de la gauche, y compris un grand nombre d'anciens électeurs communistes ? La suite de ce livre montrera au lecteur que cette image du futur président ne vient pas d'un calcul électoral mais de traits profonds de son caractère tels qu'ils transparaissent dans son discours depuis de nombreuses années.

Le vocabulaire de Mitterrand

« J'ai mis des bonnets rouges aux mots du dictionnaire. »

(Victor Hugo).

Selon un préjugé répandu, les mots sont un peu comme des fleurs, plus ou moins colorés, plus ou moins chargés de parfums idéologiques, trahissant ainsi la pensée profonde de celui qui les utilise. L'ordre, la famille, la propriété, la nation... possèdent la réputation d'être à droite, et l'égalité, la justice, les travailleurs, le social seraient plutôt de gauche[1]. Suivant cette philosophie bien assise, il suffirait, pour situer quelqu'un sur notre échiquier politique, de rechercher les mots caractéristiques de son discours. Le lecteur aura d'ailleurs pu s'étonner que nous ne commencions pas par ces choses élémentaires d'autant que son expérience l'amène quotidiennement à vérifier combien certains mots gardent une très forte charge affective. Par exemple, tout le monde aura pu remarquer que Giscard se refusait à utiliser les termes « droite-gauche » alors que Mitterrand les revendiquait pour son propre compte. Il n'y a là rien de bien étonnant : depuis 1945, au moins, *droite* est un tabou de la vie politique française ; il ne peut donc servir qu'à désigner les autres, jamais à se qualifier soi-même sauf par provocation contre l'ordre établi comme le font certains groupuscules. Guidé par cette philosophie intuitive, notre lecteur aura certainement deviné qui, en 1974, de Giscard ou de Mitterrand, prononça le plus de mots réputés de gauche comme travailleurs ou progrès et a contrario, qui s'est singularisé en insistant sur la nation, la France, le franc... De science exacte, il saura aussi lequel des deux candidats nous a, le 5 mai 1981, parlé de la classe ouvrière... Nous n'aurons pas la cruauté de poursuivre : en 1974, c'est Giscard qui parle le plus des travailleurs et lui encore qui, en 1981, évoque la classe ouvrière. Car en vérité, sauf exceptions très rares comme droite-gauche, les mots en politique ne sont pas attachés à la personnalité et aux engagements ; leur emploi répond d'abord à

---

1. Dans la suite de cet ouvrage, afin d'en faciliter la lecture, nous avons limité l'usage des guillemets aux citations relativement importantes. Les autres sont en *italiques* (tout ce qui est en *italique* dans ce livre, appartient à Mitterrand). De même, pour ne pas multiplier les renvois en bas de page, nous donnons, en annexe à la fin du livre, les références des citations tirées des ouvrages et déclarations de Mitterrand.

des stratégies, conscientes ou non, il s'explique surtout par le contexte dans lequel ils sont prononcés : en l'occurrence, Giscard voulait gagner des voix sur sa gauche et Mitterrand, lui, regardait sur sa droite...

Lorsqu'on compare l'ensemble du vocabulaire employé par les deux rivaux, à l'occasion de leurs confrontations télévisées, on constate que l'opposition principale ne passe pas entre Mitterrand et Giscard mais entre leurs textes respectifs de 1974 et de 1981. Ainsi le discours de Mitterrand en 1981 paraît plus proche de celui de Giscard à la même date et s'écarte nettement de sa prestation de 1974 comme candidat commun de la gauche. Cela ne signifie pas bien sûr que les deux hommes se soient rapprochés ; les conditions du moment, le contexte, les thèmes de l'affrontement ont changé et le vocabulaire a suivi le mouvement. Autrement dit, l'air du temps, la situation concrète dans laquelle se trouve l'orateur, la stratégie adoptée seront l'élément déterminant. Et l'idéologie, la philosophie politique ou les programmes ont une importance mineure par rapport à celle que nous leur attribuons généralement.

Arrêtons-nous un moment sur cette position dont on sent tout ce qu'elle a de choquant pour le sens commun. On sait bien que la droite et la gauche ne nous parlent pas de la même façon. Alors comment se fait-il qu'on ne retrouve pas trace de ce sentiment si fort au niveau des mots ? Pour se convaincre de la difficulté du problème, il suffira de se livrer à une expérience simple. Grâce aux ordinateurs, nous disposons, pour certains hommes ou groupes politiques, d'index, c'est-à-dire de listes des mots qu'ils ont employés dans tout ou partie de leurs discours. S'il était vrai que la gauche et la droite se distinguent par l'emploi de certains mots, il nous suffirait de comparer les index pour obtenir ces fameux mots-clefs, sortes de rayons de lumière qui, dans la nuit des idéologies, nous indiqueraient avec certitude en face de quelle terre nous nous trouvons. Pour que les choses soient nettes, prenons le cas le plus extrême dont nous disposions : de Gaulle et le PCF dans les années soixante[2]. Certes, il apparaît immédiatement que l'index du général est plus fourni (son vocabulaire étant plus riche que celui du PCF), mais environ 95 % des mots utilisés par le PCF le sont aussi par de Gaulle. Et encore, les 5 % restant ne sont pas

---

2. L'index du général de Gaulle a été établi, à partir de ses allocutions présidentielles, par Cotteret et Moreau (*Recherche sur le vocabulaire du général de Gaulle*, Paris, A. Colin, 1969). Celui du PCF l'a été par nos soins, à partir des résolutions de Congrès des années soixante, pour notre thèse sur le discours communiste.

réellement significatifs : s'il est bien évident que, dans ses discours présidentiels, le général n'employait pas des termes comme classe ouvrière, marxisme ou léninisme — termes dont le poids est d'ailleurs faible dans les textes communistes de grande diffusion — on peut les trouver dans ses «Discours et messages» en compagnie de mentions à la lutte des classes, à la révolution, etc. On nous objectera immédiatement que le général porte sur ces choses un regard résolument opposé à celui des communistes. Mais, dans l'index, le mot se trouve bien là et le problème ne pourra donc pas se traiter par la dialectique de la présence ou de l'absence. On aboutira aux mêmes conclusions en prenant le vocabulaire des socialistes, des candidats à l'élection présidentielle de 1974... : L'écrasante majorité des mots, et la quasi-totalité des plus usuels, semblent communs à tous les acteurs politiques. Pour Mitterrand, nous ne disposons pas encore d'un index suffisamment étendu, mais il ne fait pas de doute que l'on obtiendra le même résultat. Ceci s'explique par deux grandes raisons :

— D'une part Mitterrand, comme tous les hommes politiques, ne vit pas sur une planète à part et ne parle pas pour le simple plaisir de paraître, mais pour communiquer, gagner des électeurs ou des militants à sa cause. Il lui faudra bien pour cela utiliser la langue française courante et même un sous-ensemble de celle-ci : le vocabulaire politique contemporain, d'autant plus que l'avènement des mass media modernes tend à homogénéiser, à indifférencier les destinataires. De ce fait, notre discours politique s'est unifié. Les frontières entre les mots, qui pouvaient avoir une signification il y a moins d'un siècle, ont aujourd'hui disparu. Mitterrand puise donc par force dans un fonds commun aux grands leaders politiques français contemporains. Pour autant, cela ne signifie pas qu'ils nous disent tous la même chose.

— D'autre part, les index ne nous donnent pas vraiment des mots mais des formes vides et, si Giscard et Mitterrand emploient tous les deux des termes comme *pays, nation, politique, classe...*, on peut douter qu'ils leur prêtent le même sens. C'est encore plus vrai, nous le savons déjà, pour les pronoms. Donc, sauf très rares exceptions, la différence ne porte pas sur la présence ou l'absence de tel ou tel mot, mais sur le poids et surtout sur le sens qu'on leur donne.

A priori, on peut mesurer l'importance donnée par Mitterrand à tel ou tel mot en comptant le nombre de fois qu'il l'emploie, en établissant sa "fréquence d'utilisation". Ainsi a-t-on établi des

	Mitterrand	Giscard	PS	PCF
1	parti	société	parti	parti
2	politique	vie	politique	pouvoir
3	travailleurs	pouvoir	travailleurs	politique
4	socialisme	politique	économique	communistes
5	vie	social	pays	classe
6	économique	France	gouvernement	travailleurs
7	gauche	Etat	action	démocratie
8	travail	pays	travail	monopole
9	pouvoir	liberté	France	programme
10	pays	économique	socialistes	lutte

Tableau III :
Les dix mots préférés de Mitterrand, Giscard, du PS et du PCF[1]

1. Mitterrand : motion déposée au congrès socialiste de Metz (1979), d'après Bonnafous S., *Les motions du congrès de Metz*, thèse de 3ᵉ cycle, Paris Nanterre, 1981, page 182.
   Giscard : index de *Démocratie française*, d'après Ayache G., Gerstlé J., « Qui déforme le message ? », *Projet*, 24 avril 1978, page 434.
   PS : congrès de 1945 à 1976 d'après Gerstlé J., *Le langage des socialistes*, Paris, Stanké 1978, page 32.
   PCF : congrès de 1961 à 1967, *in* Labbé D., *Le discours communiste*, Paris, Presses de la FNSP, 1977.

listes de mots les plus fréquents. On lit, dans le tableau III, ceux préférés par Mitterrand, Giscard, les socialistes et les communistes. Une première remarque s'impose : les maîtres mots de la politique désignent généralement des totalités abstraites et difficiles à identifier physiquement. Telle est la première caractéristique du discours politique : il met en scène des ombres plus ou moins lointaines, des symboles dont la charge émotionnelle semble proportionnelle à l'indéfinition des contours. Le tableau III indique naturellement des différences sensibles, par exemple entre Giscard et Mitterrand. On doit cependant remarquer que les textes comparés n'ont pas exactement le même objectif. Il est logique, en effet, que Mitterrand parle d'abord du *parti* puisqu'il s'adresse au parti socialiste et lui propose une motion fixant la ligne, la philosophie de l'organisation, et tout aussi logique que Giscard privilégie la «société» puisque Démocratie française se présente comme un «projet de société» pour la France. Il n'empêche que nous avons là deux philosophies s'opposant assez clairement dans les couples *travailleurs*/social, *socialisme*/liberté, *gauche*/Etat, etc. Mais, en fait, Mitterrand et Giscard ont beaucoup de maîtres-mots en commun : *politique, vie, économique, pouvoir, pays* (concept dont on connaît l'origine maurrassienne) et bien sûr *France* (qui vient en treizième position chez Mitterrand). De même la comparaison entre les congrès socialistes et communistes se révèle aussi parlante. Si, dans les deux cas, parti vient en tête avec politique, les socialistes tiennent moins de place dans leurs résolutions que les communistes dans les leurs. Les premiers s'adressent aux travailleurs, les seconds privilégient la classe ouvrière. Le PS parle d'action là où le PC emploie lutte et programme. Alors que les socialistes (et Mitterrand avec eux) usent d'un terme assez neutre comme économique, les communistes marquent leur hostilité au système grâce à monopoles (jusqu'en 1974). L'apparition de pays et de France dans les dix mots préférés des socialistes aura certainement frappé le lecteur autant que leur absence dans la liste correspondante du PC. Mais, aussi significatives que soient ces différences, il suffirait d'allonger un peu la liste pour voir se multiplier les recouvrements.

En réalité, il est inutile de poursuivre, car le problème essentiel demeure : quel est exactement le sens donné à ces mots emblématiques, quel est le message qu'on veut nous délivrer en les employant ? L'erreur serait de croire que ce sens appartient en propre au mot, la langue ayant délimité la signification une fois pour toutes. Ces maîtres mots sont extraordinairement polysémiques et leur flou sémantique représente d'ailleurs la raison pour laquelle nos hommes politiques les aiment tant. Voyons par exemple comment Mitterrand utilise le terme *populaire* qui fut un des mots-clefs de sa campagne présidentielle. De façon courante, dans ses discours, ce terme dérivait de *peuple* pris en son sens le plus large : ainsi en est-il du *rassemblement populaire* dont il se présentait comme l'inlassable artisan à chacune de ses interventions. Ce rassemblement, nous disait-il, n'*exclut personne* sinon une *poignée de monopoles* et les *hommes de la droite qui se sont mis à leur service*. Le peuple signifie donc ici la quasi-totalité des Français. La plupart des *populaires* employés par le candidat socialiste semblent se rattacher à cette signification qui est d'ailleurs la plus courante. Dans sa bouche, ce peuple est tout simplement le *souverain* (d'où l'expression de *peuple souverain* qu'il affectionne). Il exprime sa *volonté* par les élections, les élus sont ses *représentants* ; il n'est de bonne *culture*, de bons *loisirs*, de bonne *éducation* que *populaires*, etc. Là encore, Mitterrand ne se singularise pas : aucun homme politique n'oserait employer un tel terme avec une nuance péjorative ! Au contraire, ils tenteront d'annexer à leur projet le halo magique qui l'entoure. Pour cela, il leur suffira de jouer sur la polysémie du terme afin d'en détourner la charge affective à l'avantage des choses plus spéciales qui les occupent. Ainsi dans la bouche du candidat Mitterrand, *populaire* peut également désigner le *peuple de gauche* (bien sûr on ne l'imagine pas parlant du peuple de droite) : c'est le sens de l'expression *mouvement populaire*, utilisée pour désigner les électeurs qui, en se *rejoignant sur son nom*, forment par coagulation un être collectif, le vrai peuple, que Mitterrand prétend incarner. Ainsi pourra-t-il parler des *aspirations populaires* dont il serait porteur ou des *manifestations de joie populaire* qui ont salué sa victoire. Enfin *populaire* peut se restreindre encore pour prendre une signification proche de "pauvre". C'est bien en ce sens restrictif qu'il faut lire ses engagements concernant la fiscalité, les revenus, les allocations, la consommation ou l'épargne, quand il leur accole le terme *populaire*, comme le montrent d'ailleurs clairement les mesures prises pour réaliser ses fameuses "110 propositions". Par exemple, l'une de ces propositions prévoyait la protection de *l'épargne populaire* contre l'inflation. L'erreur aurait été de comprendre le terme dans le sens banal, évoqué plus haut, et de penser que le candidat se proposait de garantir les principaux instruments d'épargne mis à la disposition du grand nombre. Le *livret d'épargne populaire*, institué début 1982, ne vise que les économiquement faibles, pour des sommes modestes et ne protège d'ailleurs de l'érosion monétaire que les intérêts et non le capital... Mitterrand ne nous aura pas menti ; président, il tente, vaille que vaille, de tenir les promesses du candidat ce qui est déjà peu banal. Il aura simplement joué sur les mots comme on le fait avec un élastique : extension maximale avant le dix mai, forte contraction ensuite.

Cet exemple aura fait comprendre la véritable nature des mots les plus courants du vocabulaire politique utilisés par Mitterrand. En eux-mêmes, ils n'ont pas grand sens : ce sont des formes quasiment vides que chaque auditeur entendra à sa façon. Bien sûr, il sera guidé par la rhétorique de l'orateur, mais, comme nous l'avons vu à propos du débat Mitterrand-Giscard, la stratégie la plus efficace consistera toujours à laisser l'auditeur aussi libre que possible d'investir le message avec sa propre subjectivité. Pour cela, il suffira d'utiliser ces maîtres-mots dont la polysémie se révèle bien commode : voilà l'enseignement principal à tirer de ces listes de mots les plus fréquents. Mais alors, comment saisir le sens exact que prennent certains mots dans le discours de Mitterrand ? Une solution consiste à rechercher d'abord le contexte, c'est-à-dire les différents usages, comme nous venons de le faire avec populaire. Ce travail a été effectué sur le langage des socialistes à partir de leurs motions de congrès depuis 1945[3]. Les résultats nous permettront de comprendre ce qui rattache Mitterrand à cette famille politique et comment son discours plonge des racines dans l'univers symbolique de la gauche non communiste.

En gros, le vocabulaire fondamental de la SFIO et du PS — avec plus de continuité dans le discours que de ruptures en passant de l'une à l'autre — peut être classé en trois catégories. D'abord on trouve les mots usuels comme action, efforts, moyens, volonté, but... Puis les mots « descriptifs » qui désignent les éléments mis en scène par le discours socialiste : il s'agit d'acteurs (le parti, le congrès, le gouvernement, l'Etat) ou de niveaux d'actions (politique, économique, municipal, national, international, etc.). Naturellement ces deux premières catégories ne sont pas neutres. Suivant la position des socialistes à leur égard, elles seront péjorées ou valorisées, mais elles tireront cette valeur avant

3. Gerstlé Jacques, *Le langage des socialistes*, Paris, Stanké, 1978.

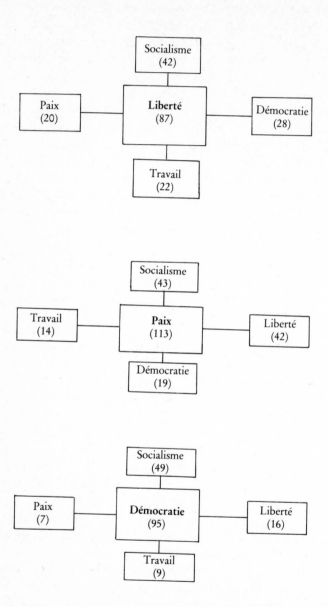

Tableau IV: Le temple symbolique des socialistes
(D'après Gerstlé Jacques, *op. cit.*, p. 39)

tout de leur place dans le discours qui pourra varier suivant la conjoncture et la position du parti sur l'échiquier politique français. Elle ne leur appartient pas en propre contrairement à la dernière catégorie, celle des « mots symboles » également nommés « mots aimants ».

Cinq mots symboles se distinguent plus particulièrement dans le vocabulaire socialiste : *liberté, socialisme, paix, démocratie, travailleurs* (il ne s'agit plus ici, à proprement parler, d'un mot, mais d'une famille de mots ayant une souche commune). Comme l'indique le tableau IV, la principale caractéristique de ces cinq familles réside dans le fait qu'elles se renvoient mutuellement les unes aux autres. Par exemple, de 1945 à 1974, les 87 apparitions de *liberté* appellent 112 associations avec les quatre autres mots aimants, ce qui signifie qu'en moyenne, à chaque fois que les socialistes ont employé un mot tiré de la famille *liberté*, ce fut pour lui accoler immédiatement au moins un autre mot symbole et, dans la moitié des cas, ce mot provenait de la famille *socialisme*. En quelque sorte, « Le socialisme dans la liberté » représente le maître stéréotype dans le PS. Tout le monde connaît la technique des psychologues consistant à demander au patient ce qu'évoque pour lui certains mots. A ce jeu, il sera facile de reconnaître le bon socialiste : la liberté déclenchera en lui un maximum d'associations d'idées. A partir de ce mot, toute la doctrine se dévidera de proche en proche comme la série de déclics qui ouvrent le coffre-fort. C'est assez dire que la liberté représente pour le parti socialiste plus qu'un mot, un véritable symbole de condensation, la meilleure clef de son univers symbolique. On peut d'ailleurs penser qu'il en est de même, non seulement pour l'ensemble de la gauche, mais aussi pour la grande majorité des Français. Mitterrand se trouve parfaitement au diapason sur ce point, probablement parce qu'il a saisi l'extraordinaire charge symbolique attachée à ce mot qui traverse notre histoire. C'est pourquoi il fera de la liberté le thème principal de son dernier appel télévisé en décembre 1965 et récidivera, seize ans plus tard, dans la conclusion du débat qui l'opposa à Giscard.

Cette même rigidité dans les associations se retrouve à peine affaiblie pour les groupes de mots *paix, démocratie, socialisme* et *travailleurs*. Autrement dit, ces cinq concepts se renvoient les uns aux autres comme d'étranges échos ; ils véhiculent une même charge affective plus que des significations manifestes. Si nous devions procéder à l'instar des rédacteurs de dictionnaire qui, pour définir un mot, donnent ses emplois, on aurait la surprise de constater que la définition de l'un quelconque de ces cinq termes repose d'abord sur les quatre autres ! En y ajoutant *émancipation, justice sociale, fraternité, laïcité, classe ouvrière*, nous avons l'essentiel de la pensée socialiste depuis 1945. Ces dix symboles forment les signaux de reconnaissance, les étendards que l'on brandit dans la bataille pour rallier les militants et les électeurs. Nous verrons tout au long de ce livre combien Mitterrand sait parfaitement en jouer, comme s'il avait percé à jour les mécanismes secrets du discours socialiste.

Pour comprendre l'importance de ces dix notions, on peut les comparer aux colonnes d'un temple : certaines paraissent moins grosses que les autres et pourtant on ne peut en retirer aucune sans mettre bas l'édifice. Suivant la place qu'occupera l'orateur dans ce temple, la perspective mettra au premier plan certaines colonnes, d'autres paraîtront cachées, mais, en réalité, il suffira d'un déplacement minime pour qu'elles réapparaissent et que changent les proportions entre les piliers. Bien sûr cette image ne doit pas être prise au pied de la lettre — l'édifice n'a pas la rigidité du marbre ni sa durée — mais sur une ou deux décennies, le système semble à peu près stable. Nous avons là une des clefs essentielles pour comprendre l'univers socialiste. En effet notre bon sens nous souffle que beaucoup de choses opposent des gens comme Mitterrand, Rocard, Defferre, Chevènement, Jospin ou le militant de base de cette mystérieuse fédération des Bouches du Nord qui fit longtemps la loi dans le parti. Et pourtant, non seulement ils restent ensemble, mais nous avons en les entendant le sentiment qu'il y a quelque part dans leur discours une même petite musique. C'est qu'ils ont en tête, plus ou moins consciemment, un code secret, une sorte de recueil de mots de passe dont la signification manifeste a sombré dans l'oubli mais non leur fonction emblématique qui sert à se reconnaître et à se compter. Bien sûr, suivant les courants, les sensibilités, les rivalités intérieures, on mettra l'accent sur tel ou tel thème.

L'image du temple s'impose du fait de la forte charge affective, quasi religieuse, que possèdent ces symboles, mais ces groupes de mots ne sont pas des briques : en eux-mêmes ils sont vides et puisent leur sens dans les relations qu'ils tissent avec les autres pour former de vastes réservoirs dans lesquels les socialistes viennent prélever le matériau de discours apparemment toujours différents et pourtant conformes au modèle de base. Ainsi se dessinent des trames d'attirances et de répulsions, un peu comme un dictionnaire définit aussi un mot par ses antonymes. Elles formeront un code non écrit mais très rigoureux que le socialiste maniera sans même en avoir conscience; sa vision du monde, qu'il pense s'être constituée librement, se trouve en fait préconstruite par le discours du groupe. Le code lui donne des règles de composition: il pourra combiner socialisme et démocratie à condition d'éviter le radical *socio* qui contient une nuance restrictive inacceptable, nuance exprimée parfaitement par Mitterrand quand il affirme que les sociaux démocrates ne sont *pas assez socialistes*. Par contre *démocrate-socialiste* est acceptable, comme dans le signe FGDS[4], de même que *socialisme démocratique* ou *démocratie socialiste*. Chacun de ces termes engendre ses contraires: *socialisme démocratique* s'oppose à la fois à *communisme* et à *socialisme bureaucratique, autoritaire*, etc.; *démocratie socialiste* permet à son tour de former des termes négatifs comme *démocratie bourgeoise*. De même, à partir de *laïcité* par exemple, on obtiendra des couples: *libre* contre *confessionnel*, *laïque* contre *clérical*, *public* contre *privé*... Ces éléments serviront à leur tour pour construire par dérivation, des mots nouveaux: *cléricalisme, anti-cléricalisme, confessionnalisme*, etc. Cependant, on le sent bien, un tel mécanisme n'a rien de propre aux socialistes. Sous des formes diverses, on le trouvera en œuvre dans tous les groupes politiques puisqu'il provient de la langue elle-même: celle-ci se contente d'indiquer les règles de construction et le sens surgit de l'usage en vigueur dans les différentes collectivités. Ainsi pour les socialistes — et pour Mitterrand avec eux bien qu'il ait été chez les bons pères — c'est l'école laïque qui est *libre*, et il ne leur viendrait pas à l'esprit de décerner un tel brevet à l'école *privée* malgré l'usage courant qui reflète pour eux le poids de l'idéologie dominante... Par conséquent, si nous voulons connaître la signification donnée par Mitterrand à certains de ses mots, il ne faut pas se tourner vers la langue mais rechercher l'emploi qu'il en fait, les contextes qu'il leur donne.

4. Fédération de la Gauche Démocrate et Socialiste. Créée en septembre 1965 pour soutenir la première candidature présidentielle de Mitterrand. Elle groupait la SFIO, les Radicaux et les Clubs. Mitterrand en assuma la présidence jusqu'à la dissolution intervenue à l'automne 1968.

A la lecture de ce qui précède, on se sera sûrement posé une question : l'écrasante majorité du PS se déclare marxiste et revendique le marxisme comme fondement essentiel de sa doctrine. Mitterrand n'y déroge pas, même s'il ajoute toujours qu'il tient en horreur le dogmatisme. Par exemple il écrit, dans la préface qu'il a donnée au programme socialiste *(Changer la vie)* : « Si ce programme n'obéit à aucun dogme et se garde de toute doctrine officielle, l'apport théorique principal qui l'inspire est et reste marxiste »[5]. Pourtant l'empreinte du marxisme se discerne mal dans le système symbolique que nous venons de décrire, ce qui peut faire douter de la sincérité de ces professions de foi. Le vrai problème réside probablement dans l'impossibilité de dire ce qu'est le marxisme aujourd'hui. Certes, si l'on se souvient que Marx considérait la dictature du prolétariat comme sa seule vraie découverte, on lui trouvera aujourd'hui bien peu de fidèles en France : même le PCF a rayé cette expression de son vocabulaire après l'avoir longtemps mise en sommeil. Est-ce à dire que Marx et ses continuateurs n'ont plus aucune influence sur notre vie politique, que leur univers conceptuel est radicalement étranger aux communistes comme aux socialistes, qu'on ne trouvera chez Mitterrand aucune trace de leur pensée à part quelques coups de chapeaux de convenance ? En fait ce serait plutôt le contraire, mais leur influence s'exerce surtout d'une manière indirecte qui passe inaperçue parce que nous la subissons tous à des degrés divers. Notre vocabulaire et notre système de pensée en apportent d'éloquents témoignages.

Le marxisme n'a véritablement connu son essor en France qu'à partir de la révolution russe et son visage d'aujourd'hui se trouve indissolublement lié à l'aventure bolchevique. En effet, si une partie de notre vocabulaire marxiste vient avant tout de la social-démocratie allemande des années 1880 à 1914, il lui aura fallu un détour par le parti bolchevique pour être transfusée, avec toute une terminologie propre au communisme russe, dans notre univers politique lors de la scission de 1920 et surtout avec la « bolchevisation » du PCF après 1924. Car, de son côté, la SFIO est restée assez imperméable au marxisme proprement dit, puisant plutôt dans le vieux fonds du socialisme français et dans la tradition républicaine qu'incarnent des figures comme Jaurès ou Blum. C'est pourquoi, dans les années 30, le PCF se distinguait des

---

5. *Changer la vie*, Paris, Flammarion, 1972, p. 10.

autres partis de gauche par une vision du monde et un vocabulaire assez spécifiques. Or la chose n'est plus aussi vraie aujourd'hui. Deux raisons expliquent ce phénomène. D'une part, certains termes comme dictature du prolétariat, communisme, voire révolution, ont été rejetés dans la pratique avant d'être effacés des textes officiels. D'autre part, au moins depuis la dernière guerre, beaucoup d'expressions typiquement communistes sont passées dans le langage courant de la politique, ou même de la vie quotidienne, et Mitterrand les emploie, comme nous tous, sans même avoir conscience de leurs implications. On peut regrouper ces expressions banalisées en deux familles.

Tout d'abord, les expressions ayant trait à la vie sociale et politique. Par exemple, le terme *gauchiste* désignait, à l'origine sous la plume de Lénine, les membres des PC qui ne se ralliaient pas à la ligne définie par le premier congrès du Komintern. Aujourd'hui, il est employé au moins aussi fréquemment par la droite, les policiers, les journalistes que par le PCF ou Mitterrand avec un sens beaucoup plus étendu, assez flou et nettement pénal. De même *objectivement* désigne normalement un énoncé appuyé sur des faits vérifiés et non sur des jugements subjectifs; or ce terme, employé lors des procès de Moscou de la façon que l'on sait, a fini par signifier «inconscient», «malgré soi», «à son insu». Il a servi à liquider toute une génération de gens qui, lors de la guerre d'Espagne ou de l'invasion nazie, s'étaient trouvés au contact de la civilisation occidentale : la simple connaissance de cet ailleurs, pas forcément conforme à la propagande officielle, les rendait automatiquement traîtres «objectifs». Ce sens second a fini par passer dans le langage politique courant : on le retrouve aussi bien dans la bouche de Chirac, de Giscard, de Mitterrand que dans celle de Marchais. *Petit-bourgeois*, qui était un substitut de «classe moyenne urbaine» dans la littérature sociologique et chez Marx, s'est également chargé d'un sens nouveau, nettement péjoratif, lui venant du communisme : il sert à qualifier un état d'esprit, une idéologie, un art que l'on dénonce comme décadents. De même Mitterrand, et la quasi-totalité du monde politique, raisonnent en termes de *classes sociales, d'intérêt de classe* ou *d'égoïsme de classe* considérés comme le ressort fondamental des comportements politiques. Constater, à l'instar de Mitterrand, que *la bourgeoisie est la classe dominante* n'étonnera personne même si on estime, avec Giscard, que ce n'est plus le cas. Et nous avons vu ce même Giscard affirmer sans sourire son respect pour la classe ouvrière lors de son débat avec Mitterrand. On disputera bien pour savoir si, oui ou non, la *lutte des classes* est le moteur de notre société, mais le concept lui-même n'est plus contesté ; il fait partie de notre vocabulaire politique, qu'on en use pour effrayer ou pour mobiliser. Il existe de multiples exemples de ce phéno- mène : Mitterrand, comme tout le monde, parle de *prise de conscience*, d'*impérialisme* ou utilise couramment des expressions comme *sous la poussée des masses, de la base, il est juste que, clair que...* Il reproche à ses adversaires de *pratiquer l'amalgame*, d'être *coupés des masses*, de ne pas comprendre leurs *aspirations* ; il en- courage ses partisans à se *lier à elles*, à s'y *implanter...* Toutes expressions dont l'origine communiste est aujourd'hui bien ou- bliée ! Et la chose se poursuit : que l'on songe à la *normalisation*, au *bilan globalement positif*, etc.

D'autre part, le mouvement communiste a été aussi un gros pourvoyeur de mots dans le domaine de l'organisation partisane et Mitterrand les emploie tout naturellement. Un parti doit doréna- vant avoir une *ligne*, notion qui a généralement peu de rapport avec la géométrie, mais qui vient de l'expression correspondante employée par le parti bolchevique ; cette ligne sera *juste*, *claire*, *conséquente* ou bien *sectaire*, *droitière*, *sans principes*, *opportu- niste*. Un parti possèdera ses *militants qui montent*, sa *discipline démocratique* (ou librement consentie), ses *déviationnistes* — qui créent des *fractions*, qui *noyautent* et font de l'*agitation* — ses *organisations de masses* qui seront ou non des *courroies de trans- mission*, son *organe de presse*, ses *écoles de cadres*, ses *permanents*. De même, les partis modernes ont tous adopté les formes d'orga- nisation venues de la social-démocratie et revues par les bolchevi- ques : *comité* (central ou directeur), *bureau* (politique ou natio- nal), *secrétariat* et *secrétaires* ; qu'ils se nomment général, premier ou national ne change rien à l'affaire...

On pourrait ainsi multiplier à l'infini les exemples de cette dif- fusion du vocabulaire communiste qui atteint même les pires en- nemis du communisme. Est-ce à dire que Mitterrand, et ñous tous à des degrés divers, serions devenus marxistes sans le savoir ? En fait, cette diffusion n'est pas due tant à la force d'expansion du marxisme qu'à la vitalité de la langue et aux capacités d'intégration de nos sociétés. Le vocabulaire politique offre, de ce point de vue, un reflet des chocs successifs que la société française a surmontés en se transformant dans l'affrontement. En effet la France n'est pas devenue marxiste-léniniste, loin s'en faut, mais certains des thèmes du mouvement communiste international se sont peu à peu répandus à partir du petit noyau bolchevique des années 1920-30 et, au fur et à mesure de cette expansion, ils ont été réinterprétés à la lumière de l'idéologie dominante qui en a fondamentalement changé le sens et la portée. Voilà bien une de ces « ruses » que l'histoire aime à nous réserver.

Nous pouvons donc reformuler notre question de départ. On ne se demandera plus l'ampleur des emprunts de Mitterrand au vocabulaire marxiste, mais quels sont les mots ou les thèmes repris par lui parmi ceux qui, de tradition communiste, ont échappé à cet engloutissement dans notre vocabulaire quotidien. La comparaison entre le vocabulaire récent de Mitterrand et celui du parti socialiste d'après le congrès d'Epinay (1971) montre un recouvrement presque parfait. Nous retrouvons dans les deux cas : *émancipation de la classe ouvrière, exploitation de l'homme par l'homme* (fin de), *front de classe, rupture avec le capitalisme, transformation des rapports de production, nationalisation des grands moyens de production*, etc. Encore faut-il noter que, par rapport à la moyenne du PS, Mitterrand se montre plutôt économe de ces expressions, et nous avons vu plus haut, à propos des nationalisations, comment il s'emploie à les dédramatiser. Une coupe historique de son discours montre que la plupart de ces expressions entrent récemment dans son vocabulaire. Avant 1965, on ne trouve dans ses écrits qu'une dénonciation bien tempérée de l'exploitation et c'est surtout après 1968 que ces thèmes s'imposent un à un. Il s'agit donc de la partie la plus récente de son vocabulaire, elle donne parfois le sentiment d'être un peu une pièce rapportée. Le fait qu'elle corresponde avec le jargon, tel qu'on le parle chez les socialistes nouvelle vague, amène à s'interroger sur les rapports de Mitterrand avec son parti.

De 1971 à 1981, Mitterrand se présente vis-à-vis des socialistes comme le « primus inter pares », avant tout soucieux de laisser s'épanouir la collégialité et la démocratie dans le parti, ce qui l'amène à supporter avec stoïcisme le goût de la palabre qu'il dénonce en s'amusant. Mais il se veut aussi une sorte de tuteur bonhomme guidant les premiers pas d'un enfant qui, quoique jeune, et affecté des défauts propres à la jeunesse, montre cependant sa puissance, sa force, sa maturité, son aptitude à devenir le premier parti de France. Bientôt ce sera l'âge adulte ; alors viendra pour lui le temps de se retirer, tel Cincinnatus, sur ses terres aimées de Latche. Il ne manque jamais de souligner combien le pouvoir ne l'intéresse pas, combien il lui faut se contraindre — lui qui n'est pas un homme d'appareil, lui qui n'aime pas la paperasse — pour supporter ses fonctions de premier secrétaire. Mais son sens du devoir l'emporte : il est encore trop tôt, il lui faut achever son œuvre, ses amis peuvent compter sur lui, il ne renoncera pas ! Voilà résumé, avec ses propres mots, le discours explicite de Mitterrand vis-à-vis du parti socialiste, ce qu'il souhaite nous faire entendre et que nous devrions croire. Pour savoir ce qu'il en est en réalité, nous proposons d'analyser le congrès de Metz (avril 1979) et, plus particulièrement, le contenu de la motion rédigée par lui seul et présentée au nom du « courant A » dont il assure la direction sans le dire ouvertement[6].

On imaginera sans peine la surprise de la linguiste qui, ayant appliqué à cette motion certaines techniques de l'analyse de discours, arriva à la conclusion que le nœud du texte — ce qui l'ordonne et lui confère sa logique interne — peut se résumer en quelques phrases : « Les prétendues "lois économiques" ne sont que les principes de gestion du système capitaliste, les vieilles recettes de l'exploitation de l'homme par l'homme dans la société industrielle... Il est temps de changer les termes du débat et de ne plus se laisser investir par la culture économique dominante... A la rigueur sociale de la droite opposons la rigueur sociale de la gauche... L'objectif du socialisme est la suppression du salariat, la fin de l'exploitation capitaliste ». Ajoutons à cela quelques considérations sur « les transformations économiques et sociales nécessaires », « la lutte des classes », « l'impossibilité de séparer le qualitatif du quantitatif », et cette « vérité première » posée d'entrée de jeu : « tout dépend du pouvoir ».

Il y a en effet de quoi s'étonner devant ce curieux spectacle : l'héritier de Léon Blum et de Jean Jaurès se mettant en devoir de tourner, sur leur gauche, les Chevènement, Motchane ou Sarre. Devons-nous prendre tout cela au pied de la lettre et admettre que Mitterrand a été touché par la grâce révolutionnaire ? Bien sûr notre linguiste en doute, mais elle fait confiance à ses instruments d'analyse : la motion A, nous dit-elle, est « résolument anticapita-

---

6. Bonnafous S, *Les motions du Congrès de Metz du PS*, thèse de 3ᵉ cycle, 1981, Paris, Nanterre. Sauf mention contraire, les références au Congrès de Metz, dans les pages qui suivent, renvoient à cet ouvrage ou à la motion de Mitterrand reproduite dans *Le poing et la rose*, 81, mai 1979.

liste», elle «intègre le vécu de l'injustice et de l'exploitation»...
Un tel «révolutionnarisme verbal» paraît pourtant bien étranger à
la personnalité et à tout ce que nous savons de Mitterrand. Une
première explication vient naturellement à l'esprit : ce seraient des
propos à usage interne destinés à flatter les certitudes des militants, comme nous l'avons vu faire avec la fibre nationale des
Français pendant la campagne présidentielle de 1981. Dans ce cas,
les autres motions proposées au congrès devraient avoir des caractéristiques semblables, à moins, bien sûr, de donner à Mitterrand
le monopole d'un certain cynisme et de présenter ses rivaux au
sein du parti comme des oies blanches, ce qui n'est guère sérieux.
Pour le vérifier, il suffit de rééditer l'opération de superposition
déjà décrite à propos du débat Giscard-Mitterrand. Le point de
repère est ici l'ensemble des sept motions soumises au vote des
délégués de Metz : elles définissent, en quelque sorte, le discours
moyen des socialistes par rapport auquel on va analyser la performance du premier secrétaire. Le tableau V résume les résultats de
cette expérience. Il indique quels sont les termes privilégiés par
Mitterrand, contrairement au reste des dirigeants socialistes (spécificités positives), et ceux envers lesquels il montre de la réticence, qu'il utilise avec plus de parcimonie.

A la lecture de ce tableau, une remarque préalable s'impose :
nous voyons qu'à Metz, Mitterrand privilégie plutôt l'accompli
(être) utilisé au futur et répugne à employer certaines modalités
comme *devoir* et *falloir* ainsi que *faire* et *avoir* dont nous connaissons maintenant la signification. Autrement dit, il se trouve curieusement, par rapport au PS, dans une situation proche de celle
qu'occupait Giscard durant leur débat du 5 mai 1981 : c'est-à-dire,
on le devine, dans la position de l'autorité contestée qui doit,
pour affirmer son pouvoir, éviter les formes verbales inaccomplies
et faire baisser la tension qui le menace. Nous retrouvons là un
phénomène bien connu des observateurs de la scène politique
française. Le pouvoir doit rassurer, prouver qu'il a la situation
bien en main : avec lui, le présent est meilleur que le passé et il en
sera de même pour l'avenir si l'on ne s'écarte pas du *chemin* qu'il
nous montre. Bien sûr, ceci vaudra tout autant pour le chef de
l'Etat que pour le dirigeant d'un parti de masse. Ainsi s'explique
l'insistance de Mitterrand à mettre en valeur l'activité du parti, la
croissance électorale du PS, les lendemains encore meilleurs qui
l'attendent : «Les cantonales auront eu lieu quand se tiendra notre
congrès : nous y marquerons des progrès». C'est pourquoi il ne

Spécificités positives	Spécificités négatives
Généralités :	
Regarder devant soi,	femmes, hommes, choix, situation, pays, mondial, volonté, période, c' (démonstratif).
tenir bon,	
l'homme,	devoir, falloir, faire, avoir, permettre (certains emplois de ces verbes).
être (verbe au futur)	
Vocabulaire institutionnel :	
Assemblée nationale, élection(s) et leurs dates, loi, droits, communauté européenne, traité de Rome.	
Comité directeur, congrès, conseil, conventions, commissions, réunions (nationales et leurs dates).	PS, PCF, GSE*, gauche, appareil, ligne, mouvement, pratique, projet, idéologique, division, stratégie.
Vocabulaire économique et social :	
Prix, production, intérêt(s).	luttes, rupture, capitalisme, développement, planification, financier, autogestionnaire.

Tableau V :
Caractéristiques particulières du vocabulaire
de la motion Mitterrand au congrès de Metz [1]

* GSE : Groupes socialistes d'entreprises.

1. D'après Bonnafous S., « Le vocabulaire spécifique des motions Mitterrand, Rocard et CERES au congrès de Metz », *Mots*, Octobre 1981, pp. 80-81.

date que les échéances électorales (cantonales, européennes, présidentielles...) et l'activité interne du parti. Pour le reste, la seule marque de temps consiste à affirmer la nécessité d'engager les réformes essentielles dans les trois mois qui suivront la conquête du pouvoir. La suite du propos se présente alors comme une série de certitudes — d'où l'usage du verbe être au futur — mais soigneusement non datées. Nous connaissons bien cet aspect particulier du discours de Mitterrand : il inscrit le programme du parti dans un temps spécial qui se rattache plus à l'utopie qu'au calendrier. Ainsi en est-il des quelques phrases définitives, citées plus haut, qui se présentent comme autant de pétitions de principe valables en tout temps et en tout lieu. C'est également pourquoi nous voyons, dans le tableau V, Mitterrand parler beaucoup de l'*homme* en général (les droits de l'homme, l'homme face au changement, l'homme et son milieu) et fort peu des *hommes* et des *femmes* concrètes. Plus personne ne semble habiter cette motion : après une mention liminaire, énoncée sur le style indirect (« Depuis huit ans, le premier signataire de ce texte, premier secrétaire du parti a veillé à assurer la progression et l'unité du parti »), Mitterrand lui-même s'efface. La motion est entièrement rédigée de manière impersonnelle. Seul sujet apparent, le *nous*, deux fois moins utilisé que dans les textes rivaux, signifie seulement à six reprises : « Nous, rédacteur de cette motion ». Autrement dit, on est face à un discours, sans sujet ni procès apparents, qui pose son propos dans l'ordre de la norme, de l'indiscutable, du non problématique : la pensée pure du parti s'incarne sous la plume de Mitterrand. Cette pensée n'entretient pas avec le monde des rapports contradictoires, en termes de volonté ou de devoir être, elle exprime un ailleurs, quelque chose qui existe déjà potentiellement et commencera à voir le jour avec la prise du pouvoir.

Fort logiquement, Mitterrand raisonne d'abord de manière institutionnelle. La transformation en question sera l'œuvre des *lois* et s'opèrera essentiellement dans le domaine des *droits* (syndicaux, de la femme, de l'homme, démocratiques...) et non par la *lutte, le mouvement,* la *pratique,* toutes choses qui sont des spécificités négatives de Mitterrand comme l'indique le tableau. D'où la valorisation de l'*Assemblée nationale*, des *élections*, de la *CEE* et du *traité de Rome*. Cette logique institutionnelle est éclatante à propos du PS lui même (bien que nous retrouvions, dans les spécificités négatives, la méfiance de l'honnête homme pour les sigles). En effet Mitterrand répugne à penser en termes de *ligne*, de *stratégie*, de *projet*, voire même de *gauche* ou de *division*. Au contraire il valorise fortement tout ce qui a trait au fonctionnement interne du parti conçu comme une somme de *réunions* et de structures *(comité directeur, congrès, conseil, conventions, commissions, colloques, journées d'étude...)* que Mitterrand énumère en y voyant la preuve d'une *intense activité*. Voilà qui nous éloigne déjà fortement de l'image marxiste que nous avions crue entrevoir précédemment.

La chose est éclatante dans le domaine économique, pierre de touche de l'analyse marxiste. Le tableau V montre que le premier secrétaire ne se singularise, dans son parti, par aucun emploi supérieur à la moyenne pour la gamme des termes empruntés à la rhétorique marxisante. Bien au contraire, il répugne à employer *lutte* (des classes), *rupture avec le capitalisme, autogestionnaire, planification*, etc. Certes il ne se différencie pas du parti pour des mots comme *socialisme, socialiste, plan, autogestion...* En les reprenant à son compte, il se situe simplement au niveau des principes, mais dès qu'il s'agit d'envisager la mise en œuvre ou les mesures concrètes, *nationalisation* se voit substituer des termes moins marqués comme *appropriation, maîtrise, secteur public élargi...*; l'autogestion se réduit aux pouvoirs des *délégués d'entreprises* et à l'évocation des *nouveaux droits des travailleurs*. Quant au *plan démocratique*, il se contente d'énoncer les procédures et les mesures juridiques justifiées par son double refus du *marché* et de l'*étatisation*. En matière de politique économique, Mitterrand semble préférer le pragmatisme : il parle dès *prix des produits agricoles* et *alimentaires*, dénonce les *hausses* ; de même il évoque la *production industrielle, agricole* ou *nationale*, la *reconquête du marché intérieur*, etc. Par contre, il se méfie de termes comme *moyens de production* ou *rapports de production* largement employés par d'autres textes, en particulier celui du CERES.

Bref nous voyons, au terme de cette comparaison, que rien ne semble réellement accréditer la thèse d'un Mitterrand se découvrant soudain une âme de révolutionnaire. Au contraire, nous vérifions de nouveau combien sa culture marxiste reste assez superficielle. Une conclusion s'impose : les quelques phrases de ton gauchiste, citées au début de cette analyse, seraient en réalité des pièces rapportées qui collent assez mal avec le reste du propos. Mais alors, pourquoi Mitterrand les a-t-il placées au centre, aux endroits clefs de son texte, comme s'il voulait nous les montrer du doigt et nous signifier que là est l'essentiel de sa pensée ? Pour expliquer ce mouvement étonnant on peut avancer deux raisons qui dévoilent la façon dont Mitterrand conçoit le gouvernement du parti socialiste.

Tout d'abord, il faut remarquer que la plupart des pétitions de principe énoncées par Mitterrand sont construites de façon négative, comme si elles répondaient à d'autres assertions : « Notre objectif *n'est pas* de moderniser le capitalisme... », « Les *prétendues* "lois économiques" *ne sont que* les vieilles recettes... », « Il est temps de *ne plus* se laisser envahir... » etc. Bref il y a quelqu'un, quelque part — probablement chez les socialistes — qui veut « moderniser le capitalisme », qui invoque les « lois économiques », qui se laisse contaminer par l'idéologie dominante et ainsi de suite. Mitterrand ne nomme pas l'accusé, mais il le désigne clairement : c'est l'homme qui a « engagé un procès avec quelque vivacité au lendemain des élections législatives » (de 1978). Tout le monde aura donc reconnu Rocard, sa dénonciation de l'archaïsme en politique et son souhait que la gauche adopte un langage plus « vrai ». C'est encore Rocard que la motion accuse, sans le nommer, de manquer de discipline, d'avoir « un réseau, des bureaux et des finances parallèles » à ceux du parti. Là encore la similitude est frappante avec la stratégie adoptée par Giscard en 1981 : ici c'est Mitterrand qui, face à son rival, se trouve obligé de nier les positions de l'autre (ou tout au moins celles qu'il veut bien lui prêter) au nom du droit (les statuts du parti), de la morale (l'unité des socialistes) et surtout des principes : la doctrine socialiste, la défense des intérêts matériels des travailleurs, etc. Bien plus qu'un appel à se rallier autour de lui, la motion de Mitterrand a donc pour premier objectif d'obtenir un rejet, une condamnation de Rocard qui, par voie de conséquence, confirmeront le procureur à la tête du parti. Mais par rapport à Giscard, la profonde habileté de Mitterrand se dévoile ici. L'adversaire n'est pas nommé, donc reconnu. Au contraire, comme en 1981, il perd son identité et se réduit à une suite d'essences négatives : l'économisme, l'opportunisme, le fractionnisme... Bref ce n'était pas Rocard que les militants de Metz devaient condamner mais *le mal*, tout comme en 1981 nous étions conviés, non pas à rejeter Giscard, mais un pouvoir néfaste par essence. Ainsi s'explique la curieuse construction de la motion Mitterrand, la mise en valeur de ces petites phrases, l'ordonnancement du texte autour d'elles et leur étrangeté par rapport à la teinte générale du propos. En quelque sorte, elles tissent, dans le corps du texte, un discours second dont le but n'est pas d'exposer une philosophie ou un programme mais d'instruire un procès en hérésie et de poser l'auteur en gardien du temple symbolique contre une attaque étrangère.

Ceci nous amène à la seconde explication concernant le comportement de Mitterrand au sein du PS. En effet, dans ce parti, quand on lit les motions du congrès, on attache plus d'importance aux signatures qui les accompagnent qu'à leur contenu proprement dit. Mais une telle attitude ne peut s'avouer explicitement, car elle reviendrait à admettre que l'enjeu principal d'un congrès réside dans le partage du pouvoir entre groupes rivaux. On imagine aisément l'aspect destructeur de cet aveu : tout comme un pays, un parti ne peut fonctionner sans une certaine dose de rêve ou de symbolique pour habiller son fonctionnement interne et le partage du pouvoir en son sein. On votera donc, non pas pour des hommes, mais d'abord pour une certaine doctrine, une certaine philosophie de la politique et des buts de la collectivité. C'est ici qu'apparaît la véritable utilité de la motion de congrès, utilité que Mitterrand semble avoir parfaitement compris comme s'il avait passé sa vie dans le petit monde des socialistes. En effet, depuis la nuit des temps, le grand jeu des congrès socialistes se nomme synthèse, savant mixage de plusieurs motions qui va mimer une sorte de processus d'unification des socialistes, réalisé par la discussion, la « confrontation des thèses » et les concessions mutuelles dans l'intérêt supérieur : l'unité du parti. Bien sûr, les délégués assistent à tout cela en spectateurs et sont conviés à ratifier, par un vote final, les dosages réalisés en commission, et en coulisses, par les leaders. D'où le très grand soin que ces dirigeants apportent à la rédaction de leurs motions afin de laisser ouvertes certaines possibilités de synthèse tout en glissant, aux endroits clefs, quelques formules de principe qui seront autant de lignes de défense pour refuser l'unité à un rival qu'on veut éliminer de la direction ou qu'on souhaite faire capituler. Le refus sera alors facilement justifié : comment *transiger avec les principes du socialisme*, comment *laisser dénaturer la ligne du parti* ou renoncer à ce qui inspire *le combat de toute une vie* ? C'est pourquoi, la victoire acquise, après le congrès de Metz, Mitterrand peut affirmer : « Autant je suis prêt pour l'élection présidentielle à faciliter les chances de celui des nôtres qui en aura le plus, autant je serai intransigeant sur la ligne du parti »... Telle était l'utilité des petites phrases si dogmatiques glissées par Mitterrand dans sa motion : il pouvait refuser de partager le pouvoir avec Rocard — donc ruiner ses projets présidentiels — et, accessoirement, marginaliser Mauroy tant que celui-ci refuserait de lâcher son encombrant ami. Puisque c'était au nom des principes qu'il agissait ainsi, comment le lui reprocher ? S'étant assuré le ralliement de G. Defferre, qui avait déposé lui aussi une motion avant de se désister en sa faveur lors du congrès, Mitterrand pouvait, grâce au ton de ces brefs passages, préparer le terrain à une réconciliation avec le CERES — l'aile gauche du parti — réconciliation scellée au lendemain du congrès lors de la première réunion du nouveau comité directeur. En s'appuyant sur les deux ailes du parti, il rééditait l'opération d'Epinay[7] consistant à écarter les centristes (en 1971, les amis de Savary ; en 1979, ceux de Rocard et de Mauroy) et s'assurait sans coup férir le contrôle du parti socialiste avec un pouvoir cette fois sans partage puisqu'il était devenu le seul point de rencontre de gens que, par ailleurs, tout semblait séparer.

L'analyse lexicale confirme ce dernier point avec beaucoup de netteté. En effet les méthodes statistiques modernes permettent de figurer géométriquement la position des principales motions proposées au congrès par comparaison de leur vocabulaire respectif : à une extrémité de la figure, on trouve la motion D (Defferre) et à l'opposé le texte E (CERES) ; au centre, pratiquement à égale distance de D et de E, se situent, bien groupées, les motions A, B et C (Mitterrand, Mauroy et Rocard). Du point de vue du vocabulaire employé, ces trois textes sont donc presque jumeaux sans doute parce qu'au fond ils partagent une vision comparable du monde et que leurs auteurs luttent pour conquérir un même terrain, une même clientèle : le centre et le gros du parti. Face à la coalition adverse, Mitterrand mène cette bataille avec la maîtrise du chef de guerre : il enfonce le centre en l'enveloppant par les ailes avec l'appui d'alliés qui feignent d'agir pour leur propre compte. Puis ayant pris le contrôle de l'appareil, il peut s'employer à réduire en douceur l'audience de Rocard en vue d'imposer sa propre candidature à l'élection présidentielle. En effet, c'est là le but principal poursuivi par Mitterrand en rééditant, huit ans après, l'opération qui lui avait réussi à Epinay. A part une commune attitude de rejet envers la greffe rocardienne, patronnée par

---

7. L'histoire du Congrès d'Epinay, qui a permis à F. Mitterrand de devenir premier secrétaire du PS à l'heure même où il y adhérait, est racontée par Borzeix J. M., *Mitterrand lui-même*, Paris, Seuil, 1973, pp. 163-184.

Mauroy en 1974, il y a peu de choses en commun chez des gens aussi différents que les rescapés du mollettisme, les amis de Defferre, de Poperen, les anciens conventionnels, les néo-marxistes du CERES ou les jeunes ambitieux, baptisés par Mitterrand «sabras» parce qu'ils sont nés à la politique après le congrès d'Epinay, sorte de retour à la terre promise. A tous ces gens, il faut donc un fédérateur : ce sera le premier secrétaire, seule incarnation de l'unité du parti. Par là même, Mitterrand ne se place pas dans, mais bien au-dessus du parti socialiste.

Cette position particulière que s'arroge Mitterrand au dessus du parti socialiste explique certaines caractéristiques curieuses de sa motion. Tout d'abord, son texte s'ouvre sur un long préambule baptisé *Regarder devant soi* : il s'agit d'un vaste panorama décrivant l'évolution technique, scientifique, sociale du monde et ses enjeux pour le pays (un «chapeau» de cette nature n'a pas d'équivalent dans les autres motions). Ce long préambule développe l'idée selon laquelle l'avenir de notre société se joue du côté du savoir et de la technique. Ils serviront pour le *bien du plus grand nombre* ou *pour le profit de quelques-uns* suivant la nature du pouvoir. Le parti socialiste, peuplé d'intellectuels et de techniciens, ne peut qu'être sensible à une telle idée puisqu'elle donne opportunément à l'histoire un moteur plus noble que la lutte des classes. Mais le procédé va plus loin encore : «Le vrai politique, nous dit-il par ailleurs, celui pour qui l'Histoire exige de grands horizons, ne respire qu'en altitude». Pour lui, en effet, la première caractéristique du chef c'est de voir plus loin que les autres, d'embrasser d'un coup d'œil l'ensemble du panorama et de comprendre mieux que quiconque l'évolution du monde, car sa position au sommet lui permet de porter son regard bien au-delà de notre pauvre horizon. En l'écoutant nous découvrons d'immenses territoires dont nous osions à peine rêver, mais dans lesquels on a la joie de se découvrir exactement à la place qu'on estime nous être due. Pour que cela devienne réalité, il nous suffira de le suivre. Et en 1981, lors d'un meeting à Grenoble, ville qui incarne le mieux la montée de ces nouvelles classes moyennes, il déclare à son auditoire : «Serait indigne de diriger l'Etat celui qui n'aurait pas une idée claire du devenir des sociétés industrielles...».

Cette position prééminente, qu'il revendique pour lui-même dans le PS, lui confère aussi la qualité d'arbitre : il peut morigéner les clans et les fractions, l'intolérance et les rivalités de personnes, établir un bilan de l'activité du parti balancé entre l'actif et passif mais où, naturellement, l'actif l'emporte puisqu'il est à la barre. Il peut aussi *mettre ses amis en garde* contre tel ou tel travers, énoncer ou rappeler les *règles* à respecter dans le fonctionnement interne du parti socialiste et déclarer hors jeu le joueur qui voudrait prendre sa place. Bref pour se comporter légitimement ainsi, il faut bien qu'il ait conquis implicitement un statut à part, ou plutôt, au-dessus des autres. D'où également le ton tout à fait caractéristique de la motion A : elle est beaucoup plus impersonnelle que les autres, ne contient pratiquement plus aucune mention de l'auteur. Pas de *je*, la loi du genre le veut ainsi, très peu de *nous*, aucune mention du courant qu'elle exprime — contrairement aux autres qui reconnaissent ainsi leur spécificité face à l'universalité du patron — le sujet est devenu : *les socialistes, le parti* entier. Et lorsqu'il dénonce la multiplicité «des clans et des fractions», cela ne le vise pas puisqu'il a «veillé en dépit des traverses, à assurer l'unité du parti». De même, lorsqu'il refuse aux dirigeants socialistes le droit de «s'adresser à la presse extérieure pour peser sur les décisions», cela ne concerne pas le premier secrétaire, *porte-parole habilité du parti* : il est la *voix du parti*, comme il sera demain la *voix de la France*. Enfin lorsqu'il appelle les socialistes à *refaire leur unité*, il faut comprendre qu'ils doivent s'unir autour de lui. Le passage de sa motion, où il dénonce les *rivalités de personnes*, est d'ailleurs celui où il emploie, en très peu de lignes, la plupart des *nous* utilisés dans tout le texte. Si l'on se souvient que le procédé inclusif a pour premier objectif de faire prendre en charge ce qui est dit, par l'auditeur ou le lecteur, on comprendra aisément le sens du message : vous et moi, ensemble, *nous* condamnons le fractionnisme rocardien. On voit ici resurgir cette capacité propre à Mitterrand de suggérer beaucoup plus qu'il ne dit ouvertement, cette faculté qu'il possède au plus haut point de disqualifier l'adversaire tout en semblant analyser froidement la situation. Mais nous retrouvons surtout, vis-à-vis du parti socialiste, ce ton si caractéristique qui était le sien face à Giscard et l'on ne peut que souligner le troublant mimétisme de Mitterrand envers la fonction présidentielle, au point de le conduire à en transposer la pratique au sein de son parti.

A l'issue de ce petit parcours dans le cœur du PS, on conviendra que Mitterrand sait fort bien se servir pour son propre compte des «oripeaux idéologiques dont s'habillent les ambitieux», selon sa propre expression. Doit-on en conclure que, tout banalement, Mitterrand a chaussé les bottes de ce Mollet si détesté, même s'il le fait avec beaucoup plus de finesse que le défunt secrétaire général de la SFIO ? Cette question, on se la pose avec raison depuis qu'à Epinay Mitterrand a réussi sa conquête du PS dans les conditions que l'on sait. L'analyse de la politique française doit cependant se défaire d'un certain angélisme : un parti ne se conduit pas avec des gants blancs, surtout un parti comme le parti socialiste, perpétuellement menacé de désintégration. Pour celui qui en assume la direction, toutes les vieilles recettes ne sont pas de trop s'il veut éviter de vider les étriers. Pourtant quand on confronte les textes de Guy Mollet et ceux de Mitterrand, depuis qu'il est à la tête du PS, beaucoup de choses les opposent (leurs discours prononcés à Epinay sont d'ailleurs éclairants sur ce point). Pendant tout son secrétariat, Mollet aura ressassé le thème de l'unité pour le repousser à un avenir indéfini, car il est hanté par un vieux fantôme : l'unité « organique », la réunion des deux familles ennemies du mouvement ouvrier (les communistes et les socialistes). Ce qui le conduit à poser le préalable du « dialogue idéologique » avec le PCF. Pendant ce temps, il ne saurait être question de programme et de gouvernement en commun, car, trop conscient de la disproportion des forces, il ajourne toujours l'union de la gauche et propose à la place l'« unité des républicains », notion qui masque mal sa préférence pour les solutions de troisième force, une fois les socialistes élus avec les suffrages communistes au nom de la discipline républicaine. Tout au contraire, Mitterrand parle peu de l'*union* (par rapport à la moyenne du PS), il la présuppose, faisant comme si tous les socialistes étaient bien d'accord là-dessus. Contre Guy Mollet, il va répétant : « Il est fini le temps où l'on pouvait se faire élire à gauche et gouverner à droite »[8]. Donc Mitterrand peut poser en postulat que le *PC et le PS gouverneront ensemble*. Le propre d'un postulat c'est que, une fois admis, il n'y a pas à revenir dessus ; moins on en parle, mieux ça vaut. Débarrassé ainsi des discussions byzantines dans lesquelles Guy Mollet se complaisait, il peut faire ouvertement du PS le thème principal de son discours et lui fixer un objectif unique : devenir le *premier* à *gauche* puis *en France*. Quel socialiste ne souscrirait pas à un tel projet ? Alors Mitterrand le leur répète à l'infini. De même, pendant la polémique de 1975 puis après la rupture du programme commun, son attitude, résumée dans la formule *Tenir bon*, n'a rien à voir avec le repli mollettiste.

---

8. Cité par Bizot J.F., *Au parti des socialistes*, Paris, Grasset, 1975, p. 58.

Il ne s'agit plus de la garde frileuse autour de la « vieille maison », mais au contraire, d'occuper tout le terrain à gauche, d'isoler les *dirigeants communistes* désignés comme les *diviseurs* suivant le procédé de disqualification utilisé contre Giscard. De ce fait, Mitterrand peut prétendre *incarner les aspirations* de tout le *peuple de gauche* et le laisser juge du comportement de la *direction* du PC. Lui ne s'abaissera pas à des polémiques partisanes.

De même la définition que Mollet donnait de la SFIO était toute négative : ni communisme, ni centrisme... Sa logique se résumait à conserver, tant au niveau de la ligne politique (défense de la liberté, de la République, de la laïcité...) que des structures du parti : c'est pourquoi Mollet disait tout le temps nous, pour faire serrer les rangs de sa petite troupe qui fondait à vue d'œil. Au contraire, Mitterrand dédaigne relativement le *nous*, sauf pour disqualifier ses rivaux, il énonce *le parti*, postule le *renouveau des socialistes* et leur fixe des objectifs offensifs (*rééquilibrer la gauche* à leur profit, *gagner les élections*, *instaurer le socialisme* ou tout simplement *changer la vie*...). Le nous de Mollet suggère toujours une sorte de fusion des dirigeants et des militants dans une sorte de communauté des tranchées. Mitterrand se garde bien de laisser réduire à cela son équation personnelle. Voyageur du soir, il est arrivé trop tard pour goûter cette communion un peu molle dans laquelle se complaisent les vieux socialistes : à Metz, il déclare tranquillement aux caciques du parti — réunis pour tenter de recoller les morceaux ou feindre la volonté de le faire — « Cette histoire de synthèse ce n'est pas bien sérieux ». Car s'étant placé au-dessus du parti socialiste, ou ailleurs, il n'en est pas prisonnier — comme l'était Mollet perpétuellement en train de composer avec les féodalités — lui peut se permettre de départager les bons des mauvais dirigeants comme nous l'avons vu faire avec Rocard. De premier secrétaire, il se fait alors *premier militant*, revendiquant la *démocratie* contre les *tendances*, la *bureaucratisation*, le *manque de solidarité entre les sections*, la *violation des règles internes du parti* par des *sectes* ou des *hiérarchies parallèles* qui en menacent l'unité...

Cette attitude s'explique si l'on songe à tout ce qui sépare les cadres des simples militants. Les premiers se préoccupent d'abord de conserver leurs mandats, d'élargir leur zone de pouvoir, alors qu'il faut autre chose au militant du rang. Il a besoin, pour se mobiliser, de sa part de rêves et de perspectives eschatologiques, surtout dans le climat très particulier du début des années 70 marquées par la concurrence idéologique avec le PC et l'extrême gauche. Dans un tel climat, pour refaire du PS un parti de masse, il fallait abandonner la vieille rhétorique républicaine, anticommuniste que développait Mollet et injecter dans le discours socialiste la part strictement nécessaire d'idéologie et d'utopie sans laquelle la coquille serait restée vide faute de puiser sur le seul terrain où existaient encore des forces militantes à capter. D'où l'idée, sans cesse défendue par Mitterrand, selon laquelle il fallait *ancrer le PS à gauche*, sur le *terrain des luttes*. Et tout naturellement, il se tourne vers Chevènement, l'animateur de l'aile gauche du parti, pour lui confier la rédaction du programme de 1972 (*Changer la vie*) puis, en 1979, celle du *Projet socialiste*...

Dans le PS, Mitterrand semble donc habité par une curieuse apesanteur. Il est partout et nulle part : animateur d'un clan, il est en même temps tout le parti, sa droite, son centre, sa gauche quand il le faut. Il dit goûter les audaces de la recherche intellectuelle et se pose en gardien du temple ; les socialistes sont tous ses *amis*, mais lui-même en change aussi souvent que nécessaire[9]. Il peut se permettre d'écrire : « Je ne suis dépendant d'aucune force au monde » (dans la préface de *Politique*, recueil de ses textes). Cela signifie bien sûr qu'il doit sa position éminente à ses qualités et au destin : je me suis fait moi-même, disent les gens arrivés. N'ayant aucune entrave, il est libre ; libre de choisir le rôle qu'il joue dans le PS et sur la scène nationale, de paraître en changer quand ça lui plaît, même s'il s'agit toujours de mettre en valeur sa « stature présidentielle ». Son image semble se démultiplier à l'infini et ne jamais pouvoir être cadrée dans quelques coordonnées simples. A peine croit-on avoir saisi une attitude caractéristique que le voilà déjà dans la position inverse, comme s'il cherchait à désorienter les observateurs et à dépister ceux qui voudraient le cerner de trop près. La chose semble chez lui beaucoup trop systématique pour ne pas être voulue : il y va de toute sa conception du monde et du rôle qu'il y joue. L'organisation de son vocabulaire va nous permettre de le comprendre.

Chez Mitterrand existe un code social particulier qui se manifeste d'abord par une certaine façon de nommer les gens, de les

---

9. De 1971 à 1981, le PS connaît trois changements de majorité : Epinay, Pau (1974) et Metz (1979). Seuls les anciens conventionnels et G. Defferre sont restés, de manière continue, à la tête du PS aux côtés de Mitterrand.

partager en deux grandes catégories. La première concerne les individualités, au sens plein, qui se rencontrent surtout dans la vie politique. A ce niveau, le nom est généralement préféré à la fonction : Mitterrand dit *Giscard*, rarement *le président* ; *Peyrefitte*, *Barre* ou *Marchais* beaucoup plus que le *garde des sceaux*, *le premier ministre* ou *le secrétaire général du PC*. Le partage droite-gauche se manifeste de la façon suivante : si la personne dont il parle se situe à droite dans son esprit, il fera précéder son nom d'un *Monsieur* qui n'est pas une marque de considération ou de respect mais l'affirmation d'une distance comme on le fait dans la vie ordinaire lorsqu'on s'adresse à des gens qui ne nous sont pas familiers mais respectables. C'est pourquoi de 1974 à 1981, Giscard a rarement droit au *Monsieur* et, encore plus rarement, à la seconde partie de son nom puisque, lui, n'est ni familier ni tout à fait respectable pour Mitterrand. Au contraire, à gauche, ses *amis* ont droit à leur identité complète, nom *et* prénom jamais précédés de Monsieur : *Pierre* Mauroy, *Gaston* Defferre, *Louis* Mermaz, *Jean-Pierre* Chevènement et même, normalement, *Michel* Rocard... Eux sont donc des individualités pleines comme les leaders des radicaux de gauche : *Robert* Fabre, *Maurice* Faure puis *Michel* Crépeau, etc. Par contre, les communistes gagnent ou perdent leurs prénoms suivant l'état de santé de l'union de la gauche. Par exemple, durant la campagne présidentielle de 1974, dans une de ses émissions télé, il dialogue avec *Georges* Marchais mais celui-ci devient plutôt Marchais tout court l'année suivante et, même au plus noir de la polémique du printemps 1978, *Monsieur* Marchais. Le système amène des effets frappants. Entre mille, ce petit passage d'*Ici et Maintenant*, où il évoque un débat qui « opposa *Lionel* Jospin à Marchais », dans une émission consacrée au Congrès de Tours. Et au moment même où il prive le secrétaire général du PC de son prénom, il donne les leurs aux contestataires communistes : *Henri* Fizbin, *Jean-Pierre* Gaudard, *Jacques* Frémontier, etc. La chose est donc maintenant assez claire : suivant la distance qui le sépare de celui dont il parle, Mitterrand transfuse de l'identité ou en retranche ; son équation personnelle modèle le visage de la scène politique. Dans cet espace, on remarquera que ce sont toujours les qualités individuelles qu'il mettra en avant pour justifier sa confiance et son amitié ou, au contraire, leur absence pour expliquer sa méfiance voire son hostilité : pour lui les liens personnels priment toujours les frontières entre les groupes ou les institutions.

Mitterrand applique le même système sémantique aux « sommets » de la société : hauts fonctionnaires, dirigeants patronaux ou syndicaux et créateurs : artistes, historiens, romanciers, journalistes, etc. La presse a suffisamment parlé de l'entourage de Mitterrand pour que nous y revenions. A part quelques morvandiaux, nous avons là l'ensemble des personnes vivantes nommées dans son œuvre par le futur président. Que ce soit un bon échantillon de la classe dominante ne saurait surprendre : qui d'autre occupe la scène politique et sociale française ? Il faut souligner ici que, sauf rares exceptions, la dominance représente la condition pour exister, au sens fort du terme : comme possesseur d'une identité, d'une particularité individuelle — on s'est fait un nom — qui se prolongent par des traits de caractère et des responsabilités clairement attachées à la personne, à ses mérites. Implicitement, pour Mitterrand, ces gens-là, tout comme lui-même, sont libres et à tout moment ils usent de cette liberté en effectuant des *choix*, en agissant bien ou mal ; la distance manifestée dans le discours — le fait qu'ils aient droit à leur prénom ou à du Monsieur — suggèrera le jugement de Mitterrand envers eux. Pour lui, la politique consiste donc d'abord à manifester une subjectivité, une volonté individuelle et ceci bien avant d'être une question d'appartenance politique ou de fonction exercée. L'appartenance de classe s'efface. Par exemple, si Mitterrand n'arrête pas d'affirmer que Giscard ou Barre *gouvernent au profit de la bourgeoisie*, il ne lui est pas venu à l'esprit de dire qu'ils sont *la* bourgeoisie. Tout simplement parce que n'importe quel dirigeant politique ou syndical, n'importe quel créateur, aussi bornés soient-ils, ne peuvent se réduire, dans son esprit, à une dimension sociologique : ils ont franchi une sorte de barrière invisible, ils ont accédé au statut d'individualités pleines. Cette catégorie des hommes libres Mitterrand ne la nomme jamais par un réflexe très caractéristique propre à toute classe dominante. Il semble incapable de concevoir tout ce que son monde peut avoir de contingent ; vivant dans une sorte de cosmogonie précopernicienne, il se voit immobile au centre de l'univers social et regarde les autres planètes tourner autour de lui. C'est pourquoi, privé de pesanteur sociologique apparente, il se perçoit, lui-même ainsi que ses pairs, comme de pures individualités dotées des qualités qui font la vraie humanité : un caractère unique, irremplaçable, irrépétible, une liberté dans l'action, réduite à une série de choix effectués en toute conscience.

Il arrive que Mitterrand soit obligé de mentionner la fonction

quand celle-ci s'avère nécessaire à la compréhension de ses propos. Pour le dominant, cette fonction se trouve toujours placée
après le nom : Barre, *le premier ministre*, Peyrefitte, *le garde des
sceaux*, etc. Dès que l'on sort de cet espace de liberté, le rapport
s'inverse, la mention professionnelle précède toujours le nom de
l'individu quand celui-ci n'est pas totalement effacé : *un paysan de
mes amis, des ouvriers de, le président, le secrétaire, l'animateur
de*... Bref, nous sommes mis en face de simples particularités
sociologiques. Ces gens-là ne sont plus porteurs de la totalité
humaine mais seulement d'un trait spécifique qui les résume. Regardons le remettre la légion d'honneur à un de ses vieux électeurs, ancien combattant de 14-18, « Cela n'est qu'une décoration.
Mais les décorations d'Aristide Petillot signifient qu'il existe, quoi
qu'on dise, des vertus qu'il faut respecter et des valeurs qu'il faut
préserver » (il s'agit, on l'aura deviné, du patriotisme)[10]. Quand il
sort de l'ombre par la vertu du discours mitterrandien, l'homme
du rang n'a pas vraiment d'histoire individuelle, il incarne des
archétypes. Bien souvent d'ailleurs *il ne voulait pas* cela, les événements lui sont tombés dessus comme la guerre de 14 sur la tête
d'Aristide Petillot. Ainsi dans *Le coup d'Etat permanent*, il nous
parle de deux personnes dont *l'histoire n'a pas retenu les noms*. Ils
font partie des dizaines de condamnés pour injure au chef de
l'Etat mais eux n'ont aucune notoriété particulière : sur le passage
du général de Gaulle ils ont simplement osé crier « Hou hou » et
« A la retraite ». C'est justement ce côté dérisoire qui pousse Mitterrand à les sortir de l'anonymat. Peu importe leurs motivations
— elles pourraient n'être pas présentables — cela ne change rien.
Ils sont simplement la démonstration *vivante* qu'avec de Gaulle
nous ne sommes plus en démocratie[11]. C'est leur seul rôle...

En dehors de l'espace politique et social où Mitterrand se meut
et où il puise les coordonnées de son discours, les gens semblent
vivre, travailler, souffrir et mourir d'une manière stéréotypée.
Certes, il leur montre trop de respect pour qu'on ne le croie pas
sincère, mais son discours les effleure juste ce qu'il faut pour y
reconnaître les quelques caractéristiques limitatives attachées dans
son esprit aux groupes sociaux, aux professions et aux générations
comme si, devant ses yeux, l'individu se faisait pure transparence.

---

10. Cité par Bizot J.F., *op. cit.*, p. 47.
11. *Le coup d'Etat permanent*, p. 177 sq.

Ainsi, Mitterrand peut affirmer que le public de ses meetings électoraux représente « Aussi bien *l'*ouvrier que *le* cadre, *l'*employé que *le* petit entrepreneur ou *l'*artisan » de la même façon que l'on dit *le* Français, *la* femme, *le* paysan, *le* noir... Ce sont des séries : la qualité d'un des éléments équivaut à celle de tous les autres et celle-ci connue, le poids (électoral) de l'ensemble doit seul être pris en compte. Or, Mitterrand aime ce singulier réducteur. Lorsqu'il emploie un terme dont l'usage normal est au pluriel, il y ajoutera souvent un singulier : *le peuple des travailleurs, le rassemblement des Français, l'unité des socialistes,* etc. Il lui faut réunir, en un sujet unique, ces pluriels qui contiennent en germe l'idée de pluralité ou d'éclatement, comme si, en l'absence de ce principe unificateur, ils allaient rouler en tous sens avant de retourner à leur état amorphe (la remarque vaut aussi pour *le* patronat, *le* monopole, *le* pouvoir, *la* gauche...). Cet aspect du discours de Mitterrand, par son ampleur même, révèle aussi une sorte de malaise devant la complexité du réel : il est plus aisé de dire *l'impôt* que d'essayer de comprendre l'enchevêtrement des prélèvements obligatoires, de parler de *l'argent* plutôt que de se risquer dans les marchés financiers, de même pour *l'*agriculture, *le* commerce, *l'*industrie, *l'*artisanat, etc. Nous nous laissons tous plus ou moins prendre au piège de la facilité au point de finir par croire à la réalité de ces artefacts sortis de notre imagination. Mitterrand a, plus ou moins intuitivement, saisi cette nostalgie d'un monde transparent régi par quelques catégories totalisantes et il sait en jouer pour captiver son auditoire, lui faire sentir combien, grâce à lui, les choses redeviendront simples. Mais la chose va plus loin encore. « Ceux d'en bas », privés de la parole publique, reçoivent ainsi une sorte de sommation : ils doivent se conformer à leur essence ou plutôt à la définition qu'en donne le discours. Par exemple, Mitterrand écrit : « La gauche socialement majoritaire en France le sera politiquement quand les couches sociales exploitées auront compris l'identité de l'acte économique, de la protestation sociale et du bulletin de vote ». Bref l'immense masse ne saurait être composée d'individus problématiques, contradictoires dans leurs opinions et leurs comportements. Cette qualité est réservée aux dominants, c'est le gage de leur authenticité. Les mêmes caractéristiques chez les dominés en font au contraire des êtres inauthentiques et Mitterrand les rappelle à leur univocité ; ils doivent se sentir en bas, se concevoir comme exploités, donc protester et voter à gauche : « C'est la tâche des partis de gauche et des syndicats ouvriers de hâter cette prise de conscience »... En son principe, toute la thématique politique de Mitterrand réside là-dedans.

Son discours va opposer inlassablement le pluriel et le singulier, l'unique et le multiple, la totalisation et la détotalisation. La droite et les groupes sociaux qui lui sont favorables seront toujours affectés d'un signe négatif grâce à des singuliers particularisants (*Giscard, patronnat, capital, monopole, argent...*) ou à des pluriels détotalisants qui suggèreront l'idée de petit nombre et de malignité : *les nantis, les privilèges, les castes, les possédants, les maîtres de l'argent*, etc. Ce camp ne connaît pas le mouvement, mais une juxtaposition de particularismes immobiles, c'est « La France conservatrice figée dans ses vieilles structures, représentée par ses notables, ses chambres d'agriculture, d'industrie, ses médecins, ses avocats, ses notaires, sa fortune foncière et ses relais auprès du capital international ». A l'opposé, il y a *la France qui vit, travaille et souffre*, décrite avec les catégories synthétiques dont nous parlions plus haut. Mitterrand va alors les combiner par couples : *peuple-Giscard, travailleurs-argent, privilèges-opprimés*, etc. Bien sûr il s'agit de valoriser le camp de l'orateur et de péjorer celui de l'adversaire. Mais au-delà, Mitterrand veut suggérer l'existence d'une sorte de communauté naturelle qui ne peut s'épanouir à cause d'un élément étranger à elle : le singulier particulier, le petit groupe oppresseur doté de moyens puissants, le pouvoir, qu'il faut lui arracher pour qu'enfin la société retrouve son unité et sa transparence.

On peut douter du caractère démocratique de cette idéologie, mais il ne faudrait pas en attribuer la paternité à Mitterrand : il reprend les vieux thèmes populistes ancrés dans nos représentations collectives. Cependant, nous nous garderons d'affirmer qu'il partage entièrement ce système de valeurs. Certains de ses écrits laissent parfois entrevoir quelques doutes, mais on peut aussi les prendre comme des clins d'œil adressés aux initiés : voyez je n'ignore pas La Boétie, Bakounine ou Michels[12]. Par contre ses discours électoraux sont construits tout entiers sur le modèle que nous venons de décrire. On ne parle pas ainsi des milliers d'heures sans finir par croire un peu à ce que l'on dit...

---

12. Cf. par exemple *Ma part de vérité*, p. 141-143.

La rhétorique de Mitterrand

« Je raconte sans trop de précautions avec les parenthèses qu'il me plaît de loger dans le récit, les événements que j'ai vécus. »

(F. *Mitterrand*, Ma part de vérité).

Le chapitre précédent aura donc convaincu que Mitterrand ne se différencie pas de la gauche non communiste par son vocabulaire, même s'il y imprime un ordre tout à fait personnel. Malgré une grande richesse lexicale par rapport à la moyenne de ses concitoyens, nous retrouvons à la base de son discours les notions et les mots clefs du vocabulaire politique contemporain. Cela ne saurait surprendre si l'on songe à ce que nous avons dit à propos de la communication de masse et de l'unification qu'elle entraîne dans la vie politique française. Le phénomène dénote aussi le vieillissement de la société toute entière. En effet l'expérience confirme que plus un mouvement social ou politique vieillit, plus il s'enracine dans la société et plus il aura tendance à sélectionner, dans la diversité de son vocabulaire, quelques termes pour lui servir de drapeaux et de carte d'identité. La richesse du vocabulaire, la fraîcheur si l'on peut dire, l'originalité par rapport aux autres seront toujours le fait d'un mouvement neuf ou réellement en marge, et la stéréotypie un signe de maturité, d'ancrage dans la société. L'étude des tracts de mai 1968 se révèle éclairante de ce point de vue. Les trois mouvements dont le vocabulaire est le plus pauvre, le moins original, sont aussi les plus anciens au moins par leur idéologie (marxistes-léninistes d'obédience stalinienne, PCF et trotskystes de la FER). A l'inverse, la richesse et l'originalité maximales se trouvent dans les textes des situationnistes et des anarchistes[1]. Bien sûr, on peut juger cela de mille manières. Généralement on dénonce la pauvreté du slogan, de la propagande, du stéréotype face à la richesse du réel ou de la pensée inventive, novatrice, poétique... Incontestablement Mitterrand penche de ce côté : il ne manque jamais de se désoler devant le jargon de la gauche, l'abus qu'elle fait des mots en *ion* et en *isme*, allant jusqu'à l'accuser de *parler un français traduit de l'allemand*. Cela ne l'empêche pas de s'y livrer à son tour, comme nous l'avons vu faire à Metz, car les individus, par force, épousent un vocabulaire, un

1. Geoffroy A. et al. *Des tracts en mai 68*, Paris, Presses de la FNSP, 1975.

certain langage en même temps qu'ils prennent parti. Ils peuvent toujours y ajouter suivant leur culture personnelle, mais il ne leur appartient pas de décider du code lui-même, il leur est impossible de vouloir en même temps rester là où ils sont et s'échapper du temple symbolique. Mitterrand s'en garde bien, la richesse de son vocabulaire ne vient pas nécessairement d'un choix en faveur de l'originalité, quant au fond, mais plutôt d'une volonté de varier au maximum ses expressions. Ce faisant d'ailleurs il prend un risque : consciemment ou non, la majorité des gens considèrent qu'un vocabulaire simple, bien spécialisé dans ses emplois, reflète une pensée claire et cohérente même si elle procède par répétition, bref un langage « efficace » en termes de communication, et qu'au contraire un vocabulaire trop riche traduit une pensée incertaine, lâche et floue. On aura reconnu ici un reproche constamment adressé à Mitterrand, reproche dont l'explication réside avant tout dans la richesse et la diversité de ses expressions qui gênent l'espèce de mécanisme intuitif de reconnaissance à l'aide duquel l'auditeur d'un discours peut situer l'orateur dans le spectre français.

Mis à part quelques voix marginales, notre discours politique contemporain se présente un peu comme un paysage de vieilles montagnes : les sommets sont arasés, les vallées comblées et il faut le regard du géologue pour reconnaître dans ce vallonnement la trace d'un relief effacé. Bien sûr, certains terrains paraissent plus riches que d'autres (Mitterrand face à Giscard), mais le matériau reste fondamentalement semblable. Si le vocabulaire témoigne ainsi d'une façon frappante du vieillissement de la vie politique française et de son incapacité à se renouveler, il faut bien pourtant que les hommes se distinguent d'une manière ou d'une autre, qu'ils luttent pour leur propre compte contre cette érosion du temps qui fige toujours leurs mots et coagule leurs trouvailles en stéréotypes à une vitesse désespérante. Plus que tout autre, Mitterrand semble avoir une conscience aiguë de cette situation. Mais il ne peut renoncer aux grands thèmes de la gauche, donc à son vocabulaire de base, sans risquer de décevoir l'attente de ses auditoires. De plus, du fait des contraintes qui pèsent sur la communication moderne, il ne peut utiliser qu'un nombre limité de matériaux souvent banalisés quelle que soit par ailleurs l'étendue de sa culture. Pour autant, il ne veut pas s'en satisfaire parce qu'il sait bien que le stéréotype engendre la monotonie et l'ennui. Rien ne s'use plus vite qu'un slogan en politique : que l'on se souvienne du « changement sans risque » de Giscard, de la *force tranquille* ou de l'*état de grâce* de Mitterrand. Au début ils ont surpris puis, à l'usage, ils lassèrent jusqu'à l'écœurement et, devenus de véritables brocards, ils se retournèrent contre leurs auteurs. L'homme ou le groupe politique doivent en permanence lutter contre cette impression de déjà-entendu, de trop-prévisible ; sinon l'auditeur relâchera son écoute, le message ne passera plus, ou même, rabâché, il suscitera l'hostilité. Il faudra donc faire régulièrement la « toilette » du discours à défaut de celle des idées. Mitterrand s'y emploie avec une application parfois un peu visible, un certain goût du maniérisme qui le font souvent soupçonner d'insincérité. Il a gardé de son milieu et de son éducation un goût prononcé pour le beau langage et la rhétorique classique telle qu'on l'enseignait encore entre les deux guerres. En effet, à la lecture de ses ouvrages et de ses discours, on constate qu'il utilise — souvent avec bonheur mais aussi à l'excès — un très grand nombre de figures rhétoriques. Sur ce point, son registre paraît d'une richesse incomparable en regard des auteurs contemporains qu'ils soient politiques ou non. Redisons-le, cet homme a le langage fleuri, un goût extraordinaire pour les mots et c'est bien là le trait principal de sa personnalité. Mais l'analyse montre aussi qu'il privilégie certains procédés dont la nature éclaire bien son caractère et sa démarche.

Jouer sur les mots ou avec eux est la première caractéristique du discours politique surtout lorsqu'il se fait propagande pure. Dans ce cas, les figures utilisées seront toujours simples sur le modèle du « mot valise » qui consiste à former un mot nouveau, par association de certaines syllabes empruntées à plusieurs mots, afin de créer un choc. Classiquement, on cite les expressions forgées contre la gauche à l'époque du Front populaire : *voyoucratie, démocrassouille, frente crapular*, etc. Le PC, dans ses époques sectaires, n'a pas été en reste : *hitléro-trotskyste, socio-fasciste, gauchiste-Marcellin, Rocard-d'Estaing*, voire *socialo-giscardien*. Mais c'est surtout la droite qui adore ce genre de construction : *socialo-communistes*, d'un emploi très répandu depuis 1972, suggère l'identité des deux formations mais surtout la prédominance du PC dont les socialistes ne seraient qu'un appendice. Il ne s'agit plus vraiment de parler pour communiquer ou convaincre, mais de hurler pour intimider. Le genre vulgaire et violent explique que Mitterrand n'y recourt pas : nous n'en avons relevé que deux dans sa bouche. Lorsque Jacques Chirac, alors premier ministre, prend la tête de l'UDR, il parle de *chiraquo-centristes* pour signifier la fin du gaullisme. D'autre part, il voit dans le CERES, à l'époque où celui-ci forme la minorité du PS, un «pot-pourri *communo-gauchiste*», un rassemblement de *gribouilles* qui cherchent à promouvoir un «Etat soviétique présidé par Proud'hon»[2]. On peut toujours y voir l'expression d'une perte de contrôle, d'une impatience ou d'une inquiétude mais pas une stratégie consciente de disqualification, car ces formules surviennent l'une au détour d'une chronique et l'autre dans une conversation à bâtons rompus avec un journaliste. Personne ne les a reprises à son compte. Ce sont des dérapages, pas des slogans consciemment énoncés comme tels.

L'autre forme classique de la rhétorique politique consiste à former des sortes d'onomatopées en jouant sur la répétition de certaines syllabes pour produire un effet de rime. Beaucoup de slogans politiques ou publicitaires utilisent cette technique parce qu'elle frappe l'imagination et grave plus facilement le message dans la mémoire de l'auditeur. «La hargne, la grogne et la rogne» en sont l'exemple parfait, par lesquels de Gaulle vilipendait l'opposition sous sa présidence. Dans le même ordre d'idées, tout le monde garde en mémoire la charge de Poniatowski, au moment de l'affaire Arenda — l'un des multiples scandales politico-financiers de la Ve République — «La République des copains et des coquins», formule sur laquelle on a beaucoup brodé depuis. Par exemple, dans un meeting de sa campagne présidentielle, Marchais s'écrie : «Assez de la République des châteaux et des cadeaux, de l'Etat des cousins et des copains». Toujours lors de cette campagne, le même secrétaire général, qui adore ce style, dénonce ainsi «Les femmes qui entourent Giscard : ce sont les baronnes et les patronnes, les héritières et les banquières, les duchesses et les princesses, les repues et les parvenues... Mme Pelletier elle-même, est — cela lui va comme un bijou Cartier — élue municipale de Neuilly, la ville des nantis». On aura remarqué au passage que le secrétaire de Marchais s'est amusé à mettre la dernière phrase sous forme d'un quatrain approximatif. Cela commence à la manière d'une comptine pour enfants et se termine en vers de mirliton, mais c'est facile à retenir et le public des meetings paraît raffoler de ce «prêt à répéter» qui tient lieu de pensée et où la rime se fait

---

2. Rapporté par Giesbert F. O., *F. Mitterrand ou la tentation de l'histoire*, Paris, Seuil, 1977, p. 299.

passer pour la raison. Mitterrand ne tombe jamais dans une vulgarité pareille, mais les avantages de ces figures rhétoriques sont trop évidents pour qu'il s'en prive. On se souvient bien sûr de son mot contre Giscard : « L'homme du passé, l'homme du passif », car le procédé lui sert d'abord pour attaquer ses adversaires, au premier rang desquels le président de 1974 à 1981. Il l'accuse d'avoir capté à son profit les voix des Français de l'étranger, en 1978, grâce à une « lettre enjôleuse, enrôleuse ». Il s'amuse en disant de lui qu'« Il adore prédire et déteste prévoir », moque son goût du pouvoir : « Les hommes qui se courbent, qui se couchent ». Ou pendant la campagne de 1981 : « Le candidat sortant, le candidat finissant », « Ce pouvoir insolent, indifférent »... Sur le même registre, il dénonce « Un petit groupe d'hommes de brigue et d'intrigues » qui, dans la SFIO, empêcha une candidature d'union de la gauche aux présidentielles de 1969. Plus exceptionnellement, il use du procédé pour mettre en valeur son œuvre personnelle : « La gauche réveillée, rassemblée, amenée aux portes du pouvoir », etc.

La rhétorique classique possède beaucoup d'autres ressources, moins faciles à exploiter toutefois, mais Mitterrand ne saurait se laisser rebuter par la difficulté et il n'est pas homme à se limiter aux registres les plus communs. Parmi les possibilités qu'offrent la langue et que Mitterrand aime particulièrement, il y a la polysémie des mots qui permet de les répéter plusieurs fois dans la même phrase en leur donnant à chaque fois des sens différents. Ainsi de Giscard et de son air convaincu : « Il nous trompe parce qu'il se trompe ». Contre la pratique constitutionnelle de la Ve République : « Giscard a trop de pouvoirs pour l'exercice du pouvoir », « Le gouvernement n'engage pas sa responsabilité, il est vrai qu'il en a si peu »... La chose lui sert aussi pour moquer ses autres adversaires. La IVe République finissante : « Sa peur lui fit peur », les caciques de la SFIO : « Le socialisme de pouvoir éloigné du pouvoir »...

Le même effet peut d'ailleurs être obtenu non pas avec des mots identiques — ce qui est généralement scabreux — mais en rapprochant plusieurs termes dérivés de la même origine, dont la racine sera commune. La célèbre formule de Barre, « Je ne sacrifierai pas la France aux Français », en fournit une bonne illustration en même temps que du goût curieux de son auteur pour l'impopularité. La dérivation est une veine où Mitterrand a beaucoup puisé. Pour brocarder de Gaulle : « Le génie du gaullisme consistait à réveiller la France en endormant les Français ». Puis contre Giscard : « Moins un président a d'autorité, plus il a besoin de pouvoirs », « Sa réussite c'est la somme de ses échecs » [3]... Il se moque des sports et des manières de son rival : « La chasse au lièvre, au tigre, au pauvre », etc. De même pour nous rendre Chirac inquiétant : « C'est un de Gaulle sans 18 juin, mais disponible pour un 13 mai ». A propos des divisions du mouvement communiste international : « Ils croient au même dieu, pas à la même église ». Parfois, la dérivation sert à mettre en valeur son propre camp : « La gauche fait des programmes, la droite des promesses », « La gauche c'est le droit, la droite c'est l'aumône »... Elle lui permet d'en relativiser l'éclatement : « Sa fonction est universelle et son tempérament fractionnel ». Très rarement, il l'utilise aussi à son avantage personnel. Par exemple : « J'ai appartenu à onze gouvernements pour une durée de sept années ce qui donne une idée de ce qu'était la stabilité ministérielle au temps de l'instabilité gouvernementale », mais c'est plutôt une excuse pour écarter un passé qui ressemble parfois à un boulet ! Ou encore, afin d'expliquer son évolution face aux institutions de la Ve République : en 1958, dit-il, j'ai voté non au référendum constitutionnel mais c'était « plus contre le contexte que contre le texte »...

Ces exemples auront fait comprendre quel est le mécanisme commun à toutes ces figures. Non seulement leur construction, en contractant l'argument, les rend frappantes et faciles à retenir ce qui en fait de vrais slogans. Mais surtout elles rapprochent de façon inhabituelle des registres différents : le sens propre et le sens figuré (chasse au gibier, au pauvre ; les pouvoirs, le pouvoir), l'unique et le multiple (la responsabilité, les responsabilités), le temporel et le spirituel, etc. Ce sont d'authentiques jeux de mots dont Freud a décrit les mécanismes et la puissance, en particulier, ce pouvoir étrange qu'ils possèdent de libérer le subconscient, de faire sauter la censure. On aura reconnu, en effet, le principe général du mot d'esprit et l'on se souvient la manière dont Mitterrand en a usé lors du débat du 5 mai 1981. C'est la raison pour laquelle, jusqu'à cette date, il dirige ses figures rhétoriques principalement contre le pouvoir en place (de Gaulle, Pompidou puis Giscard), car elles lui permettent de dénier l'autorité légale sans le dire : en effet imagine-t-on Mitterrand remettant ouvertement en

---

3. Cité par Moulin C., *Mitterrand intime*, Paris, Albin Michel, 1981, p. 239

cause la loi du suffrage universel ? S'il contourne l'obstacle avec un talent et un style qui lui sont propres, il ne faut pas lui en attribuer l'exclusivité. Tout le discours politique contemporain s'adresse ainsi à des mécanismes inconscients pour obtenir l'adhésion par une sorte d'effraction de la raison dont l'orateur évite les défenses pour jouer sur les pulsions. En politique, le plaisir d'un bon mot est rarement innocent surtout quand il est utilisé aux dépens des autres !

Mais dans le registre rhétorique, la figure préférée de Mitterrand s'appelle la réversion. Il s'agit très simplement, au cours d'une période oratoire, de reprendre, avec un sens différent et souvent contraire, les mots principaux de la proposition précédente. Elle introduit un parallélisme entre deux idées et provoque une image susceptible de frapper l'auditeur ou le lecteur. C'est pourquoi Mitterrand prise tant la réversion qui lui procure souvent l'occasion de formules heureuses ou qui « font mal » en frappant juste. Car bien sûr, comme dans les exemples précédents, il s'agit avant tout de déboulonner les adversaires en faisant sourire à leur désavantage. De Gaulle et l'UNR lui donnèrent autrefois l'occasion de quelques belles réversions d'ailleurs souvent combinées avec une ou plusieurs autres figures pour faire bonne mesure. Il s'écrie, à la tribune de l'Assemblée nationale : « Si j'aperçois bien sur les bancs de la majorité quelques gaullistes de légende, j'en vois beaucoup d'autres qui ne sont que des gaullistes de brocante ». Ce qui n'était pas très éloigné de la pensée du général, mais lui vaut tout de même un beau tumulte dans l'hémicycle ! Ou encore, contre la politique de déconcertation administrative de la Vᵉ République : « Les combats de la technocratie n'ont rien de commun avec le combat pour la démocratie ». Depuis, le procédé lui a permis de décocher des flèches innombrables contre Giscard. Par exemple, pour se moquer de son autosatisfaction : « S'il continue de sourire à son double, la France qu'il oublie l'oubliera », « Il se trouve bien comme il est, il trouve bien la France comme elle est. Tant mieux pour lui, tant pis pour elle ». Il raille les prestations télévisées de son rival : « Le discours sur les choses s'est substitué aux choses elles-mêmes »... Il se moque aussi de la majorité précédente : « La droite a des intérêts, peu d'idées et les idées de ses intérêts ». Mais jusqu'en mai 1981, Mitterrand n'avait pas d'ennemis qu'à droite. Il dénonce la ligne « révolutionnaire » des communistes (après 1977) : « Quand le PC veut tout, c'est qu'il ne veut rien ». Ou encore cette flèche contre les propositions communistes d'organisation du gouvernement déposées lors de l'actualisation du programme commun de l'été 1977 : « L'originalité de cette structure d'Etat était qu'il n'y avait plus d'Etat »...

La chose lui sert parfois à se mettre en valeur. Sur la première page de sa profession de foi, pour le premier tour de l'élection présidentielle de 1974, il ajoute cette mention manuscrite : « La seule idée de la droite est de garder le pouvoir. Mon premier projet est de vous le rendre ». A propos des élections présidentielles, il raconte comment, après octobre 1962, il était seul et sans moyens : « Autant de raisons pour n'être pas candidat, à moins que ce ne fussent autant de raisons pour l'être ». Pour synthétiser le passage de la FGDS au PS : « En 1969, c'était trop tard pour moi, en 1974, trop tôt ». Il se montre même prophétique en écrivant, après mai 1968, « Je suis aujourd'hui l'homme le plus haï de France, cela me donne une petite chance d'être un jour le plus aimé ». Lors de la campagne de 1981, il lance ce slogan inlassablement repris : « Socialiste sur la ligne de départ, je serai socialiste sur la ligne d'arrivée ». Ou, pour justifier sa future politique de décentralisation, « La France a eu besoin d'un pouvoir central fort pour se faire. Elle a besoin de pouvoirs décentralisés pour ne pas se défaire », « Pour gouverner bien, il faut gouverner moins »...

Mais Mitterrand aime trop le procédé et il lui arrive, pour le plaisir d'une belle formule, de se laisser entraîner à des mots creux comme cet autre slogan lancé tout au long de sa campagne de 1981 : « Restituer le socialisme à la France et la France au socialisme ». Parfois, il en arrive à des jugements contestables : lorsqu'il affirme que « En 1958, la bourgeoisie avait rendu le gouvernement à de Gaulle, mais de Gaulle lui avait rendu le pouvoir », il résume le 13 mai de curieuse façon, mais surtout il délivre indirectement à la IVe République un brevet d'anticapitalisme qu'elle ne mérite pas ! Parfois il joue carrément avec l'histoire par goût de faire des mots. Dans *Ici et Maintenant*, à propos de la politique soviétique qui, lorsqu'« Elle pousse à la naissance des fronts populaires, annonce une période de détente internationale à moins que ce ne soit la détente internationale qui annonce la venue des fronts populaires » (balancement repris derechef pour la guerre froide), le lecteur sera sans doute étonné d'apprendre que les années trente furent une période de détente internationale... et s'amusera de voir l'auteur lui refaire le paradoxe de l'œuf et de la poule ! D'ailleurs, au nombre considérable de figures qu'il utilise à son sujet, il n'est pas difficile de deviner que l'Union soviétique gêne Mitter-rand. Par exemple, après le coup de Prague d'août 1968, il nie qu'il puisse en être de même en France si les communistes se trouvent au gouvernement : « Les Russes ne peuvent intervenir à Paris sans être contraints d'entrer soit dans le connu de la guerre certaine soit dans l'inconnu de la guerre probable »...

On est tenté d'évoquer ici la IIIe République où l'on adorait pratiquer cette réversion creuse qui visait à suggérer le « juste milieu », à tel point qu'il y a un demi siècle, on brocardait le régime en l'appelant : la République modérément radicale et radi-calement modérée. En effet, le rapprochement s'impose tant Mit-terrand aime les balancements subtils. Pour le nucléaire, il déclare « Refuser le tout de Giscard et d'EDF et le rien des écologistes ». Sur l'Europe, « Il faut avancer sagement, mais il faut avancer en partant des réalités »... La technique du balancement lui sert éga-lement pour affirmer son attachement à la *pensée socialiste*, en récusant toute *doctrine* trop rigide : « J'ai dit combien j'admirais les progrès dûs aux premiers théoriciens du socialisme scientifi-que. Mais je me méfie de leur postérité ». Il reprend la technique à propos du *socialisme humaniste* et de *la gauche chrétienne* ; il dit puiser des instruments d'analyse *incomparables* chez Marx, mais récuse les marxistes, etc. L'étude du congrès de Metz permet de comprendre la portée réelle de ces figures : il s'agit, contre ses rivaux, d'affirmer sa fidélité aux sources, en écartant d'autorité toute discussion sur la réalité ou la profondeur de son socialisme. De même il recourt assez souvent au bon vieux ni-nisme : « Ni Moscou, ni Washington », « Il n'est pas nécessaire d'être jaco-bin... il n'est pas nécessaire d'être autonomiste ». Ou dans une lettre aux militants : « Il n'y a pas de divergence de fond, je l'es-père, sur l'identité du PS, qui n'est ni l'enfant prodigue du marxisme-léninisme, ni la copie en rose du PC, ni le ventre mou du gauchisme, ni l'alibi du réformisme, ni le bâton de vieillesse du capitalisme... »[4].

Ainsi se dévoile peu à peu le véritable sens de ces formules, il est l'homme qui départage le bien du mal (J'aime les Américains pas leur politique...), celui qui sait choisir une position moyenne intelligente, raisonnable, capable de surmonter les antagonismes : « Le socialisme, le vrai, celui en lequel nous croyons ne pouvait

4. Cité par Huet S., *Tout ce que vous direz pourra être retenu contre vous*, Paris, J. Picollec, 1981, p. 107.

survivre qu'à la condition de retourner aux sources tout en s'éveillant aux réalités du temps ». Mitterrand est si fier de cette dernière trouvaille qu'il l'applique aussi à l'écologie, aux militants chrétiens du PS, aux rapports de la France avec le tiers monde, à l'eurocommunisme... C'est le temps de la synthèse molle, de l'œcuménisme sans rivage, de la fausse symétrie qui gomment commodément les aspérités du réel. A gauche, on appelle cela dialectique, mais le lecteur n'aura eu aucun mal à reconnaître la vieille scolastique. Mitterrand l'avoue d'ailleurs dans *Ma part de vérité* : « Initié à la scolastique mais égaré par le vocabulaire, je mis du temps à reconnaître dans leur dialectique (celle des socialistes) les recettes du moyen-âge qu'on m'avait enseignées ». En fait, c'est plutôt à Gorgias qu'on songe quelquefois en lisant Mitterrand ! Il n'y a pas de contradiction dont sa rhétorique ne puisse venir à bout : « La lutte des classes a pour objectif la grande réconciliation des classes »[5]. Ou encore, « Les socialistes de l'autre siècle faisaient de l'écologie en croyant faire du socialisme. Le temps viendra où l'on fera du socialisme en croyant être écologiste ». Cette phrase a été écrite six mois avant les élections présidentielles de 1981. Elle signifie « Votez pour moi », mais se garde d'énoncer le moindre ralliement à l'écologie : ce sont les écologistes qui feront du socialisme sans le savoir, pas l'inverse... L'ambiguïté est telle cependant que rien n'empêchera le militant écologiste de croire Mitterrand rallié à sa cause s'il en a envie. Car en politique, le futur président a compris qu'il vaut mieux suggérer les choses que les énoncer trop franchement. Au moins une fois dans sa carrière, en 1949, il lui est arrivé de dévoiler le sens profond de ce procédé, dans un discours au IIIe Congrès de l'UDSR, petite formation centriste qu'il animait sous la IVe République : « Hier soir un ami me posait cette question : "Est-il exact que tu aies dit à Dijon qu'il fallait se méfier d'une égale façon d'un fascisme venu de l'Est et d'un fascisme qui aurait trouvé son incarnation dans un homme ?" (Il s'agissait de de Gaulle et du RPF). A quoi, je lui répondais dans le privé : "Ce n'est pas exactement ce que je disais, mais je me garderais bien de démentir, car c'est aussi un peu ce que je pense" » (11 juin 1949).

Alors Mitterrand mettait-il de Gaulle et le PCF dans le même sac ? Etaient-ils tous les deux fascistes à leur manière ? Comme son parti avait sur cette question des avis partagés, il adresse à chacun

---

5. Citée par Borzeix J.M., *op. cit.*, p. 209.

un clin d'œil : nous nous comprenons... Ce trait si caractéristique de la République radicale, Mitterrand l'a conservé jusqu'à aujourd'hui. Son discours garde beaucoup d'autres traces de l'époque où il fit son apprentissage de la vie parlementaire sous la houlette des caciques radicaux dont il lui arrive encore aujourd'hui de prendre la défense non sans courage. Dans cet héritage, en plus du balancement rhétorique, trois procédés de construction se dégagent plus particulièrement et forment la base du style de Mitterrand : l'emphase, l'interpellation et le sous-entendu.

L'insistance, si elle n'est pas une garantie d'être entendu, y aide parfois comme l'enseigne la publicité moderne. Le moyen le plus simple consiste certainement à répéter. Nous avons déjà dit qu'il s'agit d'une des principales caractéristiques du discours giscardien. Bien que plus sobre sur ce point, Mitterrand ne se prive pas de répéter quand il l'estime nécessaire. Généralement il combine la répétition avec l'énumération, procédé classique de la rhétorique politique. Le voici à la tribune de l'Assemblée nationale en juillet 1963 : « Votre entreprise à vous, *gouvernement* de la Ve République, s'est d'abord *attaquée* aux *droits individuels*... *Oui*, le *gouvernement* des tribunaux d'exception, *oui* le *gouvernement* ennemi des *droits individuels s'attaque* maintenant aux *droits* collectifs, au *droit* syndical, au *droit* de grève... » Et pour faire bonne mesure, il répète deux fois sa péroraison : « D'excès de pouvoir en manquements constitutionnels, d'actes arbitraires en dénis de justice, vous voulez donner au pouvoir absolu la caution de la loi ». Cette accumulation produit un incontestable effet de péjoration dont la réussite est attestée par les interruptions des députés gaullistes notées par le compte-rendu de séance. Pourquoi une telle emphase dans ce discours ? On aurait tort de n'y voir qu'un effet de tribune plus ou moins gratuit comme en sont coutumières les assemblées parlementaires. La thèse de Mitterrand c'est en effet que la Ve République n'est plus une démocratie, qu'elle s'achemine vers la dictature. Il ne peut évidemment le dire comme cela sans faire sourire et, tout au contraire, il veut être pris au sérieux. L'insistance, l'emphase lui fournissent donc un moyen de tourner la difficulté et d'imposer cette idée qu'il ne peut exprimer trop ouvertement. Le recours à des procédés emphatiques révèle souvent chez lui le souci de capter son auditoire par la bande : son dernier appel télévisé avant le premier tour des présidentielles de

1965 — où il affrontait de Gaulle au nom de la gauche unie — nous en offre un bon exemple (texte 1 ci-contre).

On voit dans ce texte comment le martèlement du *non* permet, en ayant l'air de récuser avec force les arguments du général et de ses partisans, d'imposer un non-dit : Mitterrand refuse d'envisager l'élection présidentielle pour ce qu'elle se donne, un choix entre des hommes. C'est que, face à l'homme du 18 juin, il ne fait pas le poids et il l'avoue d'ailleurs indirectement en lui rendant hommage, en le nommant plusieurs fois à propos de la guerre. Mais dans l'avant-dernier passage cité qui vise le chef de l'Etat actuel, et non plus celui de la France libre, de Gaulle n'est pas nommé mais pronominalisé (« Celui qui proclame qu'il n'y a plus en France que lui, qui serait tout... »). Or refuser de nommer quelqu'un c'est déjà le récuser, et prononcer son éloge au passé représente un moyen habituel quand on veut le pousser élégamment vers la porte. Comment Mitterrand pouvait-il mieux suggérer, au corps électoral le plus vieux et le plus féminin depuis 1945, cette idée sacrilège selon laquelle de Gaulle avait sa place au musée et non plus à la tête de l'Etat ! La suggestion par insistance, la dénégation qui se répète sans jamais avouer ce qu'elle affirme, voilà sans doute de bons moyens de dire malgré tout les choses que la prudence politique commande de ne pas énoncer. Après une telle suite de dénégations, il fallait pourtant bien que Mitterrand dise enfin sur quoi, selon lui, les Français auraient à choisir trois jours plus tard. Ce sera le rôle du dernier extrait que nous citons (texte 1). On y voit utilisé à nouveau le procédé de la répétition grâce auquel, après avoir nié que le choix puisse se situer entre une figure historique et lui-même, Mitterrand énonce enfin le sens qu'il entend donner à la confrontation électorale. Or une seule des deux branches de l'alternative apparaît, celle qu'il représente : les trois mots les plus fréquemment répétés dans ce passage sont *je* (et *moi*), *liberté, gauche*. Par contre, l'autre branche n'est pas mentionnée : est-ce à dire qu'elle est absente de ce petit discours ? On se souvient de la manière, décrite dans le chapitre précédent, dont s'effectue la compréhension d'un message : sans même en avoir conscience, nous replaçons chacun des termes dans sa famille d'origine, c'est-à-dire dans ce vaste réseau d'associations et d'exclusions qui fait le sens d'un mot. C'est pourquoi, grâce à ce travail automatique, l'auditeur de Mitterrand comprenait que, pour l'orateur, le choix résidait entre la liberté, la justice, la gauche et leurs contraires, donc la dictature, l'injustice, la droite, etc.

Texte 1 : Appel télévisé de Mitterrand pour le premier tour des présidentielles de 1965 (extraits).

« Françaises, Français : non ce n'est pas vrai, vous n'aurez pas à choisir dimanche entre la IVe République et la Ve République. Pas plus que vous n'aurez à choisir entre le ministre de la IVe que je fus à trente ans et le ministre de la IIIe République que fut le général de Gaulle dans le gouvernement de la débâcle.

Non ! Ce n'est pas vrai, vous n'aurez pas à choisir dimanche entre le soldat qui incarna l'honneur de la patrie le 18 juin 1940 et une génération qui aurait manqué à ses devoirs.

Dans les camps de prisonniers de guerre, dans les rangs de la résistance intérieure, tout un peuple de Français s'est levé comme de Gaulle et avec lui pour conquérir le droit d'être libres.

Non ! Ce n'est pas vrai, vous n'aurez pas à choisir dimanche entre le désordre et la stabilité. Le désordre, vous l'avez condamné et personne n'osera y revenir. Quant à la stabilité, qui donc la remet en question sinon celui qui proclame qu'il n'y a plus en France que lui qui serait tout et les autres qui ne seraient rien.

Non ! Ce n'est pas vrai, vous n'aurez pas à choisir dimanche entre le régime actuel et celui des partis. Le régime actuel c'est celui d'un homme seul et quand viendra pour lui l'heure de partir il vous livrera au successeur inconnu que vous désignera un clan, une faction pire qu'un parti, cet entourage, syndicat anonyme d'intérêts et d'intrigues. » (...)

« Je vous dirai peut-être de vieux mots, mais pour moi, pour nous tous, hommes et femmes de la gauche, femmes et hommes du progrès, ils ont gardé toute leur valeur. Ils s'appellent Justice, Progrès, Liberté, Paix. Quand j'avais vingt cinq ans, je me suis évadé d'Allemagne. J'aime la liberté. J'ai rejoint le général de Gaulle à Londres et à Alger. J'aime la liberté. Je suis revenu dans la France occupée pour reprendre ma place au combat. J'aime la liberté. Mais qu'est-ce que la gauche, sinon le parti de la liberté ? Encore et toujours, rappelez-vous. Ce sont les mots de la Marseillaise : Liberté, liberté chérie, combats avec tes défenseurs. »

(3 décembre 1965, *politique*, 1, p. 429-430.)

Vu le contexte de l'époque, de tels mots risquaient fort de ne pas être pris au sérieux, il fallait donc les suggérer, les imposer indirectement en répétant inlassablement leurs contraires : ces mots étendards que Mitterrand est allé puiser dans l'univers symbolique de la gauche avec la liberté au premier rang. L'effet se trouve ici renforcé par une scansion très forte, des phrases courtes et bien rythmées donnant à ce texte une tension interne, un souffle particulier qui en font l'un des meilleurs et l'un des plus caractéristiques de Mitterrand.

En plus de cette fonction suggestive, la répétition peut aussi avoir une visée pédagogique ou didactique. En effet tout professeur, lorsqu'il arrive à un point clef de son exposé, sera conduit à répéter ce qu'il tient pour essentiel. Nous avons déjà dit que l'absence de la première personne constitue l'indice le plus significatif grâce auquel se reconnaît le style didactique : l'orateur s'efface et rattache son propos à un ordre indépendant de lui-même, la nécessité, l'évidence, le savoir, l'ordre des choses... Contrairement à Giscard, Mitterrand n'abuse pas du procédé didactique, mais il aime trop l'histoire pour résister au plaisir de prononcer de véritables leçons historiques sur un thème ou un autre. Par exemple, dans *Ici et maintenant*, qui contient tous les thèmes de sa dernière campagne présidentielle, il dénonce en trois pages (96-98) la loi Peyrefitte — dite sécurité et liberté — que le parlement venait d'adopter au printemps 1980. Dans tout cet exposé, *je* n'apparaît qu'une fois alors que Mitterrand n'a pas l'habitude de se réprimer à ce point : « J'ai cité à l'Assemblée nationale cet avis de Cambacérès à Napoléon 1er... ». Le reste du temps, l'orateur ne marque sa présence que par des interrogations ou des exclamations rompant un exposé dont la longueur risque de provoquer la monotonie. Ainsi lance-t-il un *ouf!* en achevant l'*énumération* de tous les régimes que la France a connus depuis la Convention et qui « complétèrent l'arsenal de nos lois répressives ». C'est vraiment une leçon, ou plutôt un réquisitoire qui nous est donné là. En voici la péroraison :

« Hypocrisie partout. Hypocrisie, l'habeas corpus. Hypocrisie la disparition du flagrant délit. Hypocrisie la libre appréciation de la peine par le juge. Hypocrisie la plénitude des droits de la défense. Hypocrisie, je le répète sans me lasser, l'inamovibilité. Hypocrisie la sécurité invoquée pour frapper par la bande les mouvements sociaux ».

Le jeu de l'énumération et de la répétition, comme procédé

emphatique, est ici suffisamment clair, mais le lecteur aura certainement noté la petite incise (Je le répète sans me lasser) qui a priori n'apporte rien au propos. En vérité, elle est essentielle. Que l'on y songe : la longue leçon qui nous a été infligée visait certes à convaincre que Peyrefitte et sa loi sont un mal, une hypocrisie, mais cela ne serait rien si, à l'occasion, nous oubliions qu'il y a quelqu'un qui les combat *sans se lasser*, c'est-à-dire Mitterrand. Ainsi s'éclaire son apparition aux côtés de Cambacérès... Son savoir, sa connaissance de l'histoire lui donnent l'autorité non seulement du professeur mais surtout du procureur. Par là-même, l'énoncé didactique qui domine ces trois pages se trouve habilement replacé, au détour d'une phrase, dans la visée polémique qui, en réalité, animait tout le propos. Pour vérifier que l'intention polémique se cache bien derrière l'emphase didactique et la répétition, nous avons relevé leurs utilisations dans *Ici et maintenant* : Giscard est visé sept fois de cette façon, à propos de la vanité du pouvoir, de l'abaissement du parlement, des libertés, de la justice, de l'inflation, de ses familiers et de la durée du mandat présidentiel ; le PCF deux fois pour son attitude anti-unitaire et ses attaques contre le PS ; la France conservatrice une fois. En revanche, Mitterrand se montre beaucoup plus sobre de ce point de vue quand il parle de lui-même, de son parti ou de son programme.

Dans le petit texte que nous venons de citer, on aura également remarqué que l'auteur, pour donner plus de force à la répétition de *hypocrisie,* place le mot en tête de phrase à l'aide d'une construction particulière. Il s'agit là du second grand procédé d'emphase, employé par Mitterrand, qui consiste à bouleverser l'ordre normal de la phrase pour mettre en valeur un mot ou une expression grâce à des constructions comme l'inversion, l'apposition, etc. Par exemple, il s'exclame à propos de Giscard : «Aux jeunes qui ne l'intéressent pas, il n'offre aucune perspective». On voit comment cette phrase, d'apparence banale, a été construite par inversion du complément et du sujet ; l'apposition du complément signalant au passage l'intérêt que lui, Mitterrand, porte à ces mêmes jeunes... Cette phrase a également été obtenue par imbrication des deux propositions, la seconde venant comme incidente, sorte de parenthèse dans le cours du propos principal : il n'y a pas à insister puisque c'est l'évidence, semble-t-il dire, Giscard ne s'intéresse pas aux jeunes, tout le monde le sait ! En quelque sorte, un propos construit emphatiquement, charriera toujours un dis-

Texte 2: Une page de Mitterrand.

« C'est en allant, voici déjà dix ans , là où nous sommes aujourd'hui que nous avons retrouvé la confiance populaire. C'est en y restant que nous la garderons.

— Vous parliez tout à l'heure de la capacité de résistance du Parti socialiste à ces attaques incessantes du PC qui vous a accusé à peu près de tout ce qu'on peut imaginer.

— Cette capacité m'a, je dois l'avouer, agréablement étonné. Ai-je assez entendu autour de moi, ai-je assez lu dans la presse cette question : que va devenir ce parti faible le PS, face à ce parti fort le PC ? La preuve est faite qu'on se trompait, pour le moins, d'adjectifs. Le Parti socialiste a résisté parce qu'il était un parti à la ligne ferme et souple, non pas faible, face à une structure plus rigide que forte. Dans les sports comme l'escrime ou la boxe, et ce sont de beaux sports, on se brise à frapper en force. D'autres comparaisons me viennent à l'esprit mais nous ferions mieux, vous et moi, de lire les fables de La Fontaine.

— En ce qui vous concerne, vous plus personnellement, il y a eu, si l'on en juge par une série de sondages qui sont sortis après mars 1978, un certain détachement de l'opinion publique à votre égard. Est-ce que d'abord vous croyez à ces sondages ? Et si vous y croyez, comment les avez-vous analysés ?

— La tendance, en politique comme ailleurs, mieux vaut la connaître que l'ignorer. Mais je n'apprendrai rien à personne si j'observe que les sondages, selon la nature des questions posées et l'interprétation des réponses, offrent aux manipulateurs d'opinion un vaste champ d'opération. »

(*Ici et maintenant*, p. 25)

cours second en plus de la signification manifeste. Or cette construction particulière est utilisée par Mitterrand dans près d'une phrase sur deux : il s'agit donc d'un véritable « tic » de langage. Pour en illustrer le sens et la portée, nous avons pris au hasard une page de *Ici et maintenant* (voir texte 2 ci-contre).

Les premiers mots de ce texte indiquent pourquoi il aime inverser l'ordre normal de la phrase. Non seulement l'inversion lui offre l'occasion d'un balancement rhétorique, mais de plus elle lui permet de se mettre en valeur indirectement. L'incise, *Voici dix ans*, signifie bien sûr : depuis le congrès d'Epinay, depuis que je suis le premier secrétaire du parti. Il ne s'agit donc pas d'une parenthèse innocente : elle permet de glisser l'idée en forme de constat selon laquelle l'origine de la force actuelle du PS réside dans son arrivée dans la direction. La même constatation pourra être faite pratiquement pour chacune des multiples petites incises qui criblent les propos de Mitterrand. Ainsi la seconde (Je dois l'avouer) signifie que Mitterrand se place au dessus du parti, comme un père satisfait de son enfant, et nous avons déjà dit combien il adore cette position de paternage affectueux vis-à-vis des socialistes. La litote, *pour le moins*, donne plus de force à l'affirmation sous-entendue par Mitterrand : je dis qu'on a beaucoup sous-estimé le PS ! De même, « Ce sont de beaux sports » n'est pas une coquetterie gratuite, elle signale à l'auditeur que le premier secrétaire aime le sport, qu'il est un spectateur averti — ce qui laisse peu de Français indifférents — et sait reconnaître où est la beauté. Quant à « En politique comme ailleurs », il s'agit de souligner au passage qu'on a beaucoup d'autres centres d'intérêt dont la littérature (La Fontaine...). Comme on le voit, toutes ces petites parenthèses ont pratiquement comme fonction d'imprimer la marque personnelle de l'orateur sur des propos qui se donnent pour une discussion objective et distanciée.

En plus du souci de se mettre en valeur par la bande, l'extrait que l'on vient de lire révèle une autre manie de Mitterrand : la volonté de souligner l'élément essentiel de son propos manifeste en le plaçant en tête de phrase ou, au contraire, en le repoussant tout à fait à la fin de sa période oratoire comme s'il voulait signifier qu'il ne s'agit pas de lui mais d'une analyse lucide de la capacité de résistance du PS, de la tendance de l'opinion, de la comparaison entre le PS et le PC, etc. On pressent combien cette discussion est en réalité un pré-texte — au sens propre du terme — pour chanter mezzo voce ses propres louanges. Mais en mettant avec force l'accent là-dessus, on détourne l'attention de l'auditeur de telle sorte qu'il acceptera sans se choquer cette présence discrète mais insistante. A l'issue du meeting ou de la lecture, il y a fort à parier qu'il retiendra cela avant tout, avec d'autant plus de conviction qu'il aura le sentiment de se l'être forgée librement : apparemment, il aura entendu Mitterrand parler non pas de lui-même mais de la situation, de son programme, etc. Voilà l'explication essentielle de son style parfois curieusement ampoulé : il veut se mettre en valeur mais pas en avant. D'où le soin tout particulier qu'il apporte à accentuer les éléments clefs de son propos manifeste soit en les plaçant en début de phrases grâce à des inversions soit en les réservant pour la chute de sa période oratoire. Entre ces deux extrêmes, il va pouvoir se glisser naturellement dans son discours à l'aide d'une multitude de parenthèses et de propositions relatives, provoquant parfois un empilement de *qui* et de *que*. Cette insistance à utiliser les conversations les plus banales pour briller de manière détournée explique l'impression de surcharge que donnent parfois les propos de Mitterrand mais — preuve de son réel talent — il échappe généralement à la lourdeur et ne se perd pas dans un dédale oratoire.

Ne l'accablons pas trop vite : la mise en valeur de soi-même est la grande règle du discours politique puisqu'il s'agit de gagner des suffrages, de se faire élire. La vraie question réside plutôt dans cette manière indirecte si caractéristique de Mitterrand : pourquoi éprouve-t-il le besoin de se masquer pour dire *je* et de parler de lui en feignant de s'intéresser à autre chose ? A cela, le début de la page citée en exemple apporte une première réponse. Mitterrand appartient à un parti de masse où la règle est le *nous*, l'individu devant se fondre dans le groupe qui parle d'une seule voix. En effet le refoulement de la première personne du singulier, dans les propos publics des militants, est un phénomène qui s'observe de la base au sommet des deux grands partis de gauche, comme si l'impersonnalité du discours représentait la première dimension de l'homme nouveau qu'on y forge. Sans doute évoquera-t-on les dangers du « culte de la personnalité », mais c'est oublier que Staline et ses émules ne disaient quasiment jamais « je » dans leurs discours — sauf en donnant à ce je une nuance spéciale signifiant « moi et vous, moi parmi vous, moi avec vous », etc. — niant ainsi leurs positions prééminentes pour se poser en simples « interprètes des masses »... D'une certaine manière, c'était aussi l'attitude de Mitterrand au sein du PS et l'on se souvient que, lors du débat avec Giscard, Mitterrand s'est mis à dire soudainement beaucoup plus *je* qu'à son habitude, comme si la certitude de la victoire le dispensait de feindre plus longtemps. Son comportement à la présidence nous le confirmera : nous avons là l'explication principale de sa relative parcimonie, envers l'emploi de la première personne, lorsqu'il était premier secrétaire du PS et qu'il devait assumer une parole collective. Mais cette explication reste malgré tout insuffisante car, avant comme après le dix mai, les petites incises restent aussi nombreuses et nous avons noté combien au cours du débat Mitterrand semblait ne pas parler de lui mais de son programme, de sa politique ou de ses propositions, comme s'il se regardait agir par une sorte de réflexivité qui n'était pas la marque d'un doute, mais un regard distancié porté sur lui-même. Cette particularité a probablement son origine dans le milieu où il a reçu son éducation : à l'époque, dire « Moi je » y était considéré comme un péché. Alors il habite discrètement de petites parenthèses innocentes. D'où aussi cette insistance à attirer l'attention ailleurs par des constructions emphatiques : elles lui permettent de contourner une censure qui habite son inconscient avant d'être sociale. Car, comme on l'a vu dans la page qui vient d'être analysée, ces petites parenthèses sont en réalité bien souvent le centre du propos. L'analyse de son lexique nous l'avait déjà suggéré : il ne voit pas la société comme une série de rapports nécessaires, noués dans la production et la circulation des biens ou des êtres, mais comme une juxtaposition d'individualités plus ou moins libres ou contingentes suivant leur degré d'intégration à la scène politique dont lui-même est le centre. Le lecteur trouvera une excellente illustration de la façon dont Mitterrand vit ce système au quotidien dans les petites chroniques qu'il écrivait avec talent et humour pour *L'Unité*, le journal du PS[6].

Cependant l'incidente ne lui sert pas qu'à se mettre en valeur ; son allure de parenthèse banale et innocente lui permet d'énoncer des choses qui le sont beaucoup moins. Par exemple : « Qu'est-ce que le gaullisme depuis qu'issu de l'insurrection, il s'est emparé de la nation ? ». On y voit comment l'interrogation emphatique joue ici un rôle particulier : elle attire ailleurs l'attention pour glisser plus aisément cette petite incise : le gaullisme c'est l'insurrection ! Tout *Le coup d'Etat permanent* est d'ailleurs construit de cette manière,

---

6. Voir aussi *La paille et le grain*, Paris, Flammarion, 1975 ; *L'abeille et l'architecte*, Paris, Flammarion, 1978.

tournant autour d'une idée qui n'est jamais abordée vraiment de front. Pour Mitterrand, la Ve République porte en elle, comme un péché originel, l'attitude ambiguë du général face au 13 mai 1958. Cependant il ne peut défendre trop ouvertement la thèse contenue dans le titre de son livre, car de Gaulle est parvenu au pouvoir avec les apparences de la légalité, il a conquis une majorité grâce à des élections régulières et surtout, en 1964 lorsque Mitterrand écrit, beaucoup de détails de la conjuration du printemps 1958 restent dans l'ombre : il ne possède pas vraiment la preuve du complot qu'il pressent, alors il insinue...

Enfin, dans la page extraite d'*Ici et maintenant*, le lecteur aura certainement remarqué l'incise, *vous et moi*, qui apparemment n'apporte rien au propos puisqu'elle ne fait que confirmer le sens du *nous* qui la précède. Le souci de se mettre en valeur, aux côtés de La Fontaine, explique bien sûr la présence du *moi*. Quant au *vous*, il vise non seulement à ranimer l'attention de l'auditeur mais aussi à l'impliquer dans le propos, à l'interpeller. L'interpellation de l'interlocuteur est un procédé très usité dans le discours parlé car il a l'avantage de briser le rythme du propos et de combattre la monotonie. Mais elle va aussi beaucoup plus loin, comme nous allons le voir.

Lorsque Mitterrand s'adresse aux militants du PS et leur dit : « Amis, rassemblez-vous, la victoire est inéluctable », il faut comprendre : rassemblez vous autour de moi et je vous donnerai la victoire. Telle est bien la fonction de l'interpellation que de solliciter fortement l'adhésion à la personne de l'orateur et aux idées qu'il défend. En plus de l'interpellation directe, deux autres procédés plus subtils peuvent assumer cette même fonction : il s'agit de l'interrogation rhétorique et de l'exclusive.

Le discours du 18 juin 1940 nous offre un modèle d'interrogation rhétorique : « Mais le dernier mot est-il dit ? L'espérance doit-elle disparaître ? La défaite est-elle définitive ? Non ! ». Par rapport à la forme affirmative, le choix de la transformation interrogative ne sert pas à atténuer le propos ou à laisser place au doute ; au contraire elle fait ressortir avec plus de force la réponse, elle interdit la question qu'elle feint de formuler, elle prend à témoin l'auditeur et le somme de prendre position sans lui laisser de choix à faire comme l'indique assez le « non ! » qui vient ensuite. C'est bien pourquoi Mitterrand utilise ce procédé. Par exemple, il répond à l'accusation de jacobinisme : « Ai-je écrit une ligne qui fut éta-

tique ? Ignorerais-je que l'Etat porte la livrée de la classe diri-
geante ? Oublierais-je la leçon terrible du régime soviétique ? ». Or
justement, quand on relit certains de ses discours — par exemple
au lendemain du 1er novembre 1954, lorsqu'éclate la guerre d'Algérie et qu'il est ministre de l'intérieur, ou en mai 1968, lorsqu'il
interpelle Pompidou à la tribune de l'Assemblée nationale
(Qu'avez-vous fait de l'autorité de l'Etat ?) — il ne paraît pas
illégitime de s'interroger sur sa philosophie de l'Etat. De même,
beaucoup de gens à gauche ont critiqué sa vision du socialisme
soviétique. Le procédé rhétorique lui permet donc d'écarter d'autorité la discussion et donne à sa réponse implicite une évidence
qu'elle est loin d'avoir en réalité... Ce petit exemple confirme que
chez Mitterrand le procédé rhétorique sert avant tout de défense.
Il signale en réalité un malaise, un point ressenti comme délicat,
une difficulté qu'il tente d'écarter en interdisant de lever le voile.
Certaines interrogations prononcées par Mitterrand en fournissent
des illustrations frappantes. Voici comment il aborde le problème
de l'alliance avec les communistes au congrès d'Epinay à l'heure
même où il adhère au parti et en prend la direction : « Quel est
celui d'entre vous qui pense une seconde que nous ne serons pas
les alliés électoraux des communistes en 1973 ?... Alors si on se
présente ensemble, par un accord de second tour avec les communistes, vous croyez que vous pourrez aborder les élections sans
dire aux Français pour quoi faire ? ». On voit ici comment la
formulation interrogative arrache l'auditeur à sa position confor-
table de spectateur et l'oblige à prendre position, au moins dans
son for intérieur, alors que la forme même de la question ne laisse
aucun choix. Elle sous-entend en effet : on ne peut pas penser une
seconde, on n'a pas le droit de cacher aux Français... Pour comprendre la raison de cette insistance sur ce point précis, il faut se
souvenir qu'en 1971 beaucoup de socialistes étaient loin de sou-
haiter un accord de gouvernement avec le PC ; la tentative Defferre ne date que de deux ans ! Autre point sensible, son attitude
vis-à-vis des rocardiens après le congrès de Metz. Interrogé sur ce
point, il s'exclame : « Ai-je jamais rejeté quiconque contribue à
l'épanouissement du socialisme en France ? ». Quand vraiment le
problème le touche au plus profond, son emphase ne connaît plus
de bornes, il en rajoute comme à plaisir. Ainsi dans *Ici et maintenant*, pour nier que ce soit par ambition personnelle, ou par goût
du pouvoir, qu'il sera candidat à l'élection présidentielle de 1981,
il pose une bonne demie page de questions : « Qu'appelez-vous

pouvoir ? Un logement dans un palais ? Le grand cordon de la légion d'honneur ? Le droit de grâce régalien ? La maîtrise des décrets ? etc. » et, pour faire bonne mesure, il conclut : « Le socialisme m'apporte plus ». Mais trop de dénégations emphatiques valent parfois un aveu...

De manière plus générale, le lecteur aura d'ailleurs remarqué que l'interrogation rhétorique comporte souvent une prétérition, c'est-à-dire qu'elle consiste à feindre de ne pas vouloir dire ce que néanmoins on dit clairement et souvent avec force. On rencontre énormément de prétéritions dans la bouche ou sous la plume du futur président de la Ve République. Parfois, il s'agit apparemment d'une coquetterie. Ainsi feint-il de s'interroger sur l'attitude des Soviétiques envers sa candidature en 1974 : « Les Russes ont-ils douté ? Ont-ils pensé qu'ils auraient plus à gagner, qu'ils obtiendraient plus de garanties avec la droite ? ». Or, auparavant, il s'est étendu sur la connivence des soviétiques avec les dirigeants conservateurs de l'Ouest, il vient de dire qu'il « inquiétait les deux super puissances » et que Moscou avait adressé un *clin d'œil* à Giscard d'Estaing... Utiliser l'interrogation consiste alors à se tourner vers l'auditeur : vous connaissez la réponse, en tout cas je vous en ai assez dit pour vous éclairer, mais je vous laisse libre de conclure, vous avez assez de jugement pour comprendre que Giscard est complice des Russes. C'est qu'il s'agit, par ces prétéritions en forme d'interrogations, de faire passer une opinion qu'on sait polémique, de « pousser le bouchon » beaucoup plus loin que ne le permettrait une simple affirmation, un propos clairement assumé avec tout le ridicule que comportent les idées manifestement excessives. On en jugera d'après ce petit passage du *Coup d'Etat permanent* :

« De Gaulle serait-il dictateur ?... Qu'est-ce que la Ve République sinon la possession du pouvoir par un seul homme dont la moindre défaillance est guettée avec une égale attention par ses adversaires et le clan de ses amis ? Magistrature temporaire ? Monarchie populaire ? Consulat à vie ? Pachalik ? Et qui est-il, lui, de Gaulle ? Duce, Führer, Caudillo, Conducator, guide ? A quoi bon poser ces questions ? »

Au passage notons l'énumération des qualificatifs attribués à de Gaulle, procédé dont nous avons déjà dit l'importance. On voit ici comment la force interrogative permet de suggérer des rapprochements sans que pour autant notre auteur les prennent ouvertement à son compte, ce qu'il prend soin de souligner encore grâce à la dernière interrogation. Il sent bien en effet que l'on va sursauter devant des comparaisons si manifestement excessives. Alors, après les avoir suggérées, il devance les objections : « On rétorquera : "De Gaulle dictateur ? Tout au plus un père qui gourmande, qui corrige, qui châtie, non un bourreau d'enfants. Un père qui pense à tout... " Cessez ce paradoxe et ne reprochez plus à de Gaulle d'opprimer un peuple qui l'acclame ». Ah ! pense le lecteur soulagé, Mitterrand devient raisonnable, il abandonne ses thèses outrancières... Il aura au contraire obtenu l'essentiel : qu'on veuille bien seulement envisager la Ve République sous un autre angle que la démocratie, ce qui est exactement son propos dans *Le coup d'Etat permanent*. Cette capture de l'auditeur ou du lecteur, un autre procédé permet de la réaliser à peu de frais, il s'agit de l'exclusive.

La technique de l'exclusive consiste à souligner une affirmation en lui donnant un caractère absolu afin d'interdire la réplique : « Ce n'est que cela et pas autre chose ». Par exemple, à la tribune du Sénat, il dénonce la Ve République : « Ce régime dont on ne connaît pas son nom, qui se situerait, prétend-on faussement, entre le régime présidentiel et le régime parlementaire, il n'a jamais porté qu'un seul nom à travers tous les temps, il s'appelle dictature ». Il aurait pu aussi bien dire : Le régime n'est ni parlementaire, ni présidentiel, c'est... ; la formulation aurait été plus claire mais aussi facilement contestable : on peut y répondre *non*. C'est pourquoi l'utilisation de l'exclusive (Il *n'a qu'*un nom...), détourne opportunément la discussion vers l'histoire, elle attire l'attention sur le caractère trop entier du jugement et protège ainsi la proposition essentielle (c'est une dictature). L'auditeur de bonne foi va contester le caractère outrancier, exclusif, du jugement et, sans y prendre garde, il se sera exactement placé sur le terrain choisi par l'orateur qui pourra alors se montrer beau joueur et concéder quelques nuances, ce que Mitterrand fait justement : « Tout compte fait c'est à cela qu'il ressemble le plus. C'est vers un renforcement continu du pouvoir personnel qu'inéluctablement il tend », etc. Peu lui importe au fond que le gaullisme soit un régime paternaliste, ou qu'il ressemble à une dictature, ou qu'il y tende... L'efficacité du procédé réside en ce que l'auditeur, ou le lecteur, aura eu le sentiment d'être mis dans le coup, d'avoir exercé son libre arbitre en ne suivant que partiellement l'autre. Il sera, de plus, rassuré de voir que prévaut finalement une opinion plus raisonnable, alors même que c'était justement là qu'on voulait le conduire.

Dès lors, on comprendra aisément pourquoi Mitterrand a énormément utilisé l'exclusive contre les présidents et lesgouvernements successifs de la Ve République jusqu'en mai 1981, Giscard étant de loin sa victime favorite en ce domaine. Avec l'habileté qui lui est propre, il ne fait que suivre une habitude générale : tous nos hommes politiques emploient l'exclusive et pour peu qu'on y prenne garde, on en rencontrera quotidiennement. Mais la vigilance risque toujours d'être prise en défaut tant sont nombreuses les ressources que la rhétorique offre aux hommes politiques. Mitterrand, plus que tout autre, sait remarquablement en user. Nous allons en donner une dernière illustration avec le sous-entendu.

Il y a mille manières de sous-entendre quelque chose, de le glisser dans la conscience de l'auditeur sans pour autant le dire ouvertement. Le présupposé est certainement le modèle parfait du sous-entendu : c'est un élément qui n'est pas affirmé dans le propos, mais qu'il faut accepter au préalable pour que les paroles entendues aient un sens. Les hommes politiques goûtent fort ce procédé qui leur évite d'avoir à affirmer les choses : ainsi ne risquent-ils pas de se voir sommés d'apporter la preuve de leurs dires. Il représente chez Mitterrand l'un des traits les plus révélateurs de sa pensée. On pourrait en citer des centaines. Nous nous contenterons d'analyser deux passages relevés dans son livre *Ici et maintenant*.

Le premier a trait au mouvement écologique que Mitterrand refuse d'ailleurs de nommer ainsi (ce serait le reconnaître) ; il préfère dire *l'écologiste* et l'on pressent la signification de ce mouvement réducteur... L'écologiste, nous dit-il, « Qui prétend ne pas prendre parti entre la Gauche et la Droite, choisit la Droite. Il se comporte, objectivement, comme un agent du pouvoir établi. Il a beau crailler, il vote nucléaire ». Ici, il y a bien sûr un premier présupposé — les élections tranchent de tous les problèmes — mais en France cela ne choque pas, personne ne conteste sérieusement l'importance du vote, quitte ensuite à faire du corps électoral une sorte de ventriloque. Mais en dehors de cela, il faut encore accepter quatre présupposés supplémentaires faute de quoi les phrases que nous venons de citer perdent tout sens. C'est-à-dire :

1. Voter consiste toujours à *choisir entre la Gauche et la Droite*. Remarquons au passage les majuscules utilisées par Mitterrand : on ne vote donc plus sur des problèmes ou pour départager des

partis mais pour choisir entre deux essences, deux archétypes. On retrouve ici la lutte entre le bien et le mal...

2. Ce choix est exclusif : ceux qui ne votent pas à gauche choisissent en fait la droite. Mais attention, la proposition n'est pas réversible comme le lecteur peut s'en assurer : la seule référence est ici la gauche (ou plus précisément les positions de Mitterrand). En effet seul le bien qu'il incarne est absolu, le mal étant lui contingent. Sous le précédent septennat, lorsqu'il estimait une mesure positive, Mitterrand écrivait : *On pille les propositions de la Gauche, on se décide enfin à, on a fait un geste, le bon sens l'emporte,* etc. La phrase de Mitterrand contre les écologistes n'a donc de sens qu'en admettant la position de la gauche, qu'il incarne, comme pivot du système politique.

3. En 1980, la droite est le pouvoir établi, pas la gauche. Autrement dit, le seul pouvoir qui compte c'est la présidence, le gouvernement et le parlement.

4. La droite, c'est le nucléaire. Enfermé dans la logique manichéenne, en œuvre dans les trois présupposés précédents, le lecteur sera amené à conclure que la gauche est contre. Mais il aurait tort, car ici il n'y a plus qu'un terme marqué (la droite), la gauche a disparu : en la choisissant, l'écologiste ne votera plus *pour* le nucléaire, rien d'autre. Croira-t-il voter contre ? Alors il aura mal lu Mitterrand...

On voit ici comment l'un des termes — la gauche — engendre sa propre alternative, ce qui explique la non réversibilité du second présupposé. Ceci permet d'enfermer le réel dans des coordonnées qui, « allant de soi », sont hors de discussion, à la source même du propos. Le langage politique est certainement, de ce point de vue, l'une des plus merveilleuses machines à produire du pseudo-naturel. Car, en fait, il suffit de rappeler que, de gauche ou de droite, le nucléaire reste le nucléaire ou que le pouvoir établi ne se limite pas à l'Elysée et au Palais Bourbon, pour se rendre compte que Mitterrand déplace, sur le terrain électoral, des questions où elles n'ont plus grand sens.

Autre présupposé à propos de Rocard. Tout d'abord, Mitterrand situe la ligne de partage qui sépare selon lui le « *courant* des Assises » et le « *parti* d'Epinay ». En effet, dit-il, « Les clivages politiques qui se sont, par la suite produits entre nous, ont toujours épousé cette ligne de partage ». Mais, ajoute-t-il, « J'établis une distinction entre le chrétien qui en conscience estime devoir adhérer au PS... pour le changement de la société, et celui qui y vient... pour enlever la citadelle ». Le lecteur attentif aura certainement sursauté devant une telle interprétation : il pourrait rappeler à l'auteur que Rocard a fait partie de la direction du PS à ses côtés, de 1974 à 1979, ou qu'aux Assises pour le socialisme il n'y avait pas que des chrétiens, etc... Mais ce faisant, il aura, comme plus haut dans le cas de l'exclusive, laissé passer l'essentiel c'est-à-dire les deux présupposés contenus dans ce petit passage : Rocard serait un militant chrétien et il voudrait prendre le pouvoir dans le PS, non pas changer la société, contrairement à Mitterrand... Alors peut venir le deuxième temps de la manœuvre. L'orateur affirme que « Bon nombre d'adhérents du PS, venus à lui par le canal des Assises et qui appartenaient à la gauche chrétienne, ont conservé entre eux des relations privilégiées jusqu'à constituer un courant ». Affirmation banale puisqu'il est vrai que le courant Rocard vient surtout des Assises, même si une telle vision réduit sérieusement la nature du débat politique dans le PS. Mais la banalité du propos fait bien passer, dans la foulée, l'incise sur la gauche chrétienne qui, grâce à une technique que nous connaissons bien, introduit l'idée que tout le courant Rocard est chrétien. Il peut alors passer au troisième temps de sa démonstration : « J'ajoute que l'existence d'un courant à dominante *confessionnelle* exaspère par contre-coup les courants qui s'inspirent d'autres systèmes de pensée ». Passons sur l'affirmation principale, selon laquelle les rocardiens exaspèrent les autres et ont rendu les tendances « sectaires », et remarquons le glissement sémantique qui s'opère grâce au passage de *chrétien* à *confessionnel*. On comprend alors l'importance du présupposé qui court tout au long des attaques indirectes de Mitterrand contre Rocard : ces gens sont des *cléricaux*. Et nous avons dit, lors de notre précédent chapitre, que la laïcité représente l'un des dix mots clefs, l'un des piliers du temple symbolique des socialistes. Dans ces conditions, prononcer contre Rocard le mot confessionnel revient à l'excommunier purement et simplement. Voilà la lutte pour le pouvoir dans le PS ramenée sur le bon vieux terrain de la laïcité ! Mais, bien sûr, il s'agit de la pureté doctrinale du parti et non d'un combat des chefs. Mitterrand peut même se donner les gants d'affirmer qu'il ne vise « Pas M. Rocard spécialement. Il se trouve que M. Rocard, par ses qualités et son passé politique, était en mesure de conduire cette action. Mais sans lui le problème se fût quand même posé »...

Ces deux exemples montrent comment une affirmation gagne en force lorsqu'elle se présuppose. En effet, on déplace l'attention sur ce qui est posé — l'affrontement droite-gauche, l'attitude des rocardiens dans le PS — et l'on met hors d'atteinte la question essentielle : la position des socialistes concernant le nucléaire, la pertinence des critiques de Rocard contre Mitterrand. Le destinataire aura le sentiment qu'il est libre d'acquiescer ou non à certaines idées exprimées par le premier secrétaire alors même que, ce faisant, il aura admis à son insu l'essentiel. Le discours politique agit ici proprement par effraction en donnant à ses destinataires l'impression qu'ils exercent leur jugement sur un matériel en réalité secondaire. On pourra même, comme dans le cas de l'exclusive, feindre de les rejoindre en grande partie. Ainsi dans les pages qui suivent les extraits que nous avons cités, Mitterrand se livre à un vibrant éloge du rôle joué autrefois par le catholicisme social ou à un plaidoyer pour la défense de la nature...

L'effraction psychologique à laquelle se livre le discours politique représente généralement un modèle de jugement sans procès. On en rencontre tellement qu'on peut même se demander si nous n'avons pas là l'un des ressorts fondamentaux de la propagande. Par exemple, lorsque de Gaulle ou Mitterrand disent *les Russes* pour l'Union soviétique, ils peuvent ainsi suggérer la permanence du chauvinisme de ce peuple par-delà son régime, mais surtout ils font l'économie d'une démonstration ; les clichés nationalistes et racistes ont tellement plus de force que les raisonnements, même justes. Dans le même ordre d'idées, de Gaulle ne nommait jamais le PCF, il parlait des séparatistes (1947-1953) ou de l'entreprise totalitaire (mai 1968), etc... On sait qu'il s'agissait d'un procédé courant du stalinisme que de remplacer la pensée par l'insulte. Et le lecteur aura certainement remarqué que Mitterrand retrouve pour condamner les écologistes, des formules comme *agent objectif*, *criailler* (il emploie ce verbe également à propos des *gauchistes*) : au-delà de la diffusion du stalinisme dans le discours politique contemporain, les formules du premier secrétaire marquent surtout la tonalité et le véritable contenu de son propos. L'argument d'autorité change ici le sens des mots, il place la gauche et la droite dans l'ordre des essences éternelles (le bien et le mal) et fait de l'écologiste, non plus des individus ou un mouvement, mais une nouvelle incarnation du petit-bourgeois dont il est acquis qu'il manque de sens politique (il criaille comme la volaille) et qu'il sert les intérêts de la bourgeoisie en pensant lutter contre elle. Dans des phrases comme celles-ci, les mots acquièrent donc un véritable sens pénal qui, selon Barthes, « impose une lecture immédiate des condamnations » [7]. Tel est bien le ressort ultime du présupposé chez Mitterrand.

Au terme de ce petit parcours qui n'épuise pas l'extraordinaire richesse rhétorique de Mitterrand, le lecteur aura certainement compris les raisons pour lesquelles le futur président prise autant le bon mot, le beau langage. Ce qu'il prenait pour la manifestation d'une éloquence un peu surannée lui apparaîtra maintenant pour ce qu'elle est en réalité : une savante machine destinée à capter le jugement de l'auditeur ou du lecteur pour l'amener sur ses positions tout en feignant de faire appel à son libre arbitre. Bien sûr, on sait que Mitterrand tient cela de l'époque où il faisait ses Humanités dans l'enseignement secondaire classique d'avant-guerre, mais une question demeure cependant : pourquoi a-t-il gardé aussi fortement cette empreinte un demi-siècle après avoir quitté les bancs de l'école ? Il faut en effet de bien fortes raisons pour expliquer une pareille résistance de l'acquis culturel même s'il présente des avantages certains du point de vue de la communication politique. Sans doute avons-nous là un des traits qui plongent au plus profond de son être. Mauriac, qui savait percer à jour les caractères, disait de lui que c'était un écorché [8]. Reste bien sûr à comprendre les raisons de cet écorchement ! On peut se demander ce que cache cette manière perpétuellement détournée de dire les choses comme s'il avait peur de s'exposer aux regards, de se trouver pris en défaut, de révéler à lui-même et aux autres les passions qui l'habitent. Sans doute, sa longue carrière mouvementée explique-t-elle aussi sa manière particulière : peu d'hommes politiques contemporains ont encaissé autant de coups dont un seul suffit en général à ruiner un bel avenir. Ceci justifierait sa prudence de chat, le demi-mot, le clair-obscur dont il aime entourer ses paroles les plus anodines. En réalité, le remède est sans doute pire que le mal ; ce paratonnerre-là attire la foudre : on lui prête toujours un demi-complot de plus et, de Machiavel à Rastignac en passant par Florentin, aucune épithète ne lui aura été épargnée !

7. Barthes R., *Le degré zéro de l'écriture*, Paris, Gonthier, 1969, p. 25.
8. Mauriac F., « Bloc-Notes », *L'Express*, 30 octobre 1959.

Les métaphores de Mitterrand

«Veut-on savoir si je me voyais roi ou pape?»

(*F. Mitterrand*, L'abeille et l'architecte).

Pour lutter contre la banalisation de son discours et donner plus de force à ses propos, Mitterrand utilise aussi le procédé métaphorique, c'est-à-dire qu'il emploie une image afin d'établir une analogie entre l'objet dont il parle et quelque chose de plus familier ou de plus amusant. Pour cela il empruntera, en dehors du vocabulaire politique, des mots appartenant à d'autres champs de la vie sociale. Il s'agit d'un mécanisme courant. En effet notre langage quotidien est constitué d'une foule de termes empruntés au vocabulaire des chemins de fer, de la navigation maritime ou aérienne, des télécommunications, de la mécanique, de l'armée... Peu à peu leur usage, d'abord spécialisé, s'est répandu dans le reste de la société avec un sens élargi. Nous avons déjà signalé ce phénomène à propos du lexique communiste et l'on se souvient de l'extraordinaire banalisation subie par certaines expressions bolcheviques, au point que personne ne les remarque plus aujourd'hui. Les linguistes nomment cette espèce d'érosion « lexicalisation » pour signifier que, tombant dans le lexique courant et l'usage de tous les jours, le terme perd de son originalité, se détache de son sens premier et devient stéréotype. On en aura un bon exemple avec le fameux *état de grâce* emprunté par Mitterrand au vocabulaire religieux. La formule créait une analogie amusante entre le suffrage universel et le saint esprit, mais à force d'être reprise elle a perdu sa puissance évocatrice et elle est devenue un stéréotype banal qui n'évoque plus grand chose. Là encore, comme tous les hommes politiques, Mitterrand est donc condamné à innover sans cesse pour lutter contre l'érosion des mots et des images.

Cependant il se heurte à une limite évidente : à trop vouloir surprendre son auditoire, il risque de le perdre. C'est pourquoi, malgré son désir de singularité, il n'hésite pas à recourir aux clichés. Ainsi nous ressert-il *le sel sur la queue de l'oiseau* qu'on veut attraper (à propos du goût des socialistes pour les discussions théoriques), le *renard libre dans le poulailler libre*, pour définir la libre entreprise, l'*ogre capitaliste* ou les PME *chair à pâté du grand capital*, etc. Parfois, il en rajoute : « Le grand capital est un ogre, il vous dévore, vous ronge jusqu'à l'os, il vous mangera même l'os, car il a toujours faim ». Autre stéréotype, le PS figuré par la *maison*. A propos des rocardiens : « Ils devraient se souvenir qu'ils ont d'eux-mêmes changé de toit et que sous ce toit, nouveau pour eux, vivaient déjà des gens qui ne les avaient pas attendus ». Ou bien il écrit qu'à Epinay il avait « L'ambition de réunir dans une même maison » les différents courants socialistes et de les faire *cohabiter*...

Mais ces clichés sont tellement convenus qu'ils passent facilement inaperçus. D'où la nécessité de souligner l'effet pour redonner un peu de vigueur à ces images usées. A cette fin, Mitterrand utilise plusieurs techniques de régénération. La plus simple consistera à changer un mot dans la formule toute faite. Par exemple : « Le sectarisme est la chose du monde la mieux partagée ». Normalement il aurait dû dire : « Comme la bêtise, le sectarisme... ». En effaçant le premier terme, que tout le monde a en tête à cause de l'extrême banalité de la formule il suggère une identité entre ces deux défauts et s'épargne la peine de le dire (en plus de l'élégance, un bon discours doit être économe). Mitterrand utilise également la technique consistant à construire une image neuve en changeant les mots du stéréotype sans en altérer l'idée de base : pour parler des prolétaires du XIXᵉ siècle qui luttaient « à mains nues » contre l'ordre social, Mitterrand dit *à bras d'homme*. Ou, pour évoquer « l'horizon de la vie humaine », il affirme : « Si je regarde devant moi, à vue d'homme ». Ainsi donne-t-il un soupçon de nouveauté et d'étrangeté à son propos, tout en ne dérangeant pas la banalité de l'évidence qu'il énonce. Enfin, dernière technique, il fondra deux stéréotypes pour obtenir une formule plus ou moins originale dans laquelle se reconnaîtront cependant les clichés qui auront servi de matériau de construction : Mitterrand dit de ses propositions qu'il les *clame aux quatre vents* pour signifier que non seulement il les affirme bien fort (clamer à tous vents) mais que, de plus, il est allé le faire aux quatre points cardinaux (nommés autrefois les vents). Ou à propos de la rupture PC-PS en 1977, il dit avoir préféré renoncer *au pouvoir qui mangeait dans* sa *main* plutôt que de céder aux exigences du PC, pour nous signifier qu'il avait le pouvoir à portée de la main et qu'il l'avait apprivoisé... De même il parle de la *roue de sauvetage du capitalisme*, etc. Voici, rapidement résumés, les grands procédés utilisés par Mitterrand pour lutter contre la stéréotypie sans se priver des clichés. Chez lui, les exemples sont infinis de cette capacité à régénérer les images usées pour donner à ses propos un tour personnel. Cependant la chose est trop systématique et donne parfois un aspect maniéré au texte. Ce tremblement de l'image provoque une impression de flou, quand il ne gêne pas la compréhension.

Toutefois Mitterrand ne saurait s'en contenter d'autant que, contraint d'utiliser le vocabulaire politique de base et d'assumer un programme qui ne pèche pas par excès d'originalité, il lui faut trouver les moyens de captiver son auditoire en peignant sous des couleurs évocatrices l'objet de son propos. Pour cela, en plus de procédés rhétoriques que nous venons de décrire, il fabriquera des images plus ou moins nouvelles avec un extraordinaire éclectisme mais surtout avec une assez grande originalité par rapport à la moyenne des hommes politiques contemporains.

Ceux-ci puisent leurs images dans un certain nombre de domaines privilégiés en tête desquels on trouve l'automobile dont on sait l'amour que lui portent les Français. Les freins, l'accélérateur, le changement de vitesse, les clignotants, les amortisseurs, les tournants, le moteur qui chauffe, les pannes et bien sûr le précieux carburant, tout sert et ressert pout illustrer la vie économique et sociale, les jeux des partis, les combinaisons parlementaires... On voit combien ce phénomène est révélateur : les hommes politiques choisissent généralement leurs images dans les domaines qui leur sont familiers, qu'ils aiment ou qui les obsèdent. C'est une sorte de réflexe : on joue avec les mots que l'on connaît bien et par là même on se dévoile... Or Mitterrand puise très peu dans le registre automobile. A propos du premier plan Barre, il conseille de *changer le moteur* et non *les seules plaquettes de frein*. On voit ici la contraction de deux clichés : « le profit moteur de l'économie » et les « mesures de freinage conjoncturel ». Autre stéréotype mécanique : *le train de l'histoire* avec lequel il se moque des doctrinaires de gauche qui lui ont demandé toutes sortes de précisions sur la *machine, sa vitesse, son carburant...* avant de soutenir sa première candidature présidentielle. Et c'est pratiquement tout ! Par rapport à la grande majorité de ses concitoyens, nous avons là une caractéristique essentielle de Mitterrand : il n'est pas intéressé par la mécanique ni d'ailleurs par les sciences et les techniques (excepté la médecine comme nous le verrons plus loin). Certes, il en parle et feint d'y attacher de l'importance puisqu'il le faut bien, mais la chose lui est étrangère et, comme il a du mal à s'y retrouver, il ne lui vient pas à l'idée d'aller y puiser des images pour illustrer son discours.

Quels sont alors les domaines de Mitterrand ? L'histoire et la littérature sont les plus apparents : dans les cent premières pages d'*Ici et maintenant*, nous avons relevé plus de trente références historiques et littéraires. Elles consistent à comparer des contemporains avec les personnages historiques ou à établir des parallèles entre les événements d'actualité et les grandes dates de notre histoire généralement évoquées de manière allusive. Parler de de Gaulle comme s'il s'agissait de Bonaparte, comparer le 13 mai 1958 au 18 brumaire (comme il le fait tout au long du *Coup d'Etat permanent*), ou nommer Giscard *notre Louis Philippe*, ce sont naturellement des métaphores. Le procédé présente un avantage : il dissipe l'incertitude qui entoure les événements contemporains en les ramenant à une histoire dont on connaît l'épilogue. On peut tout de même s'interroger en lisant certains textes de Mitterrand. Ces personnages du théâtre classique, de la mythologie antique ou de l'histoire érudite risquent de ne pas évoquer grand chose dans l'esprit de beaucoup de lecteurs ou d'auditeurs. Alors pourquoi les citer aussi abondamment ? Il est possible de rapprocher cette caractéristique de l'image qu'il se fait du chef. On se souvient que, pour lui, les principales qualités du dirigeant sont la sagesse et la capacité à voir loin. Dans son esprit, ces qualités viennent incontestablement d'une longue fréquentation de l'histoire et de la culture. D'où son insistance...

En dehors de ces images historiques et littéraires, le recensement des métaphores employées par Mitterrand depuis 1964 fait apparaître deux familles distinctes. La première concerne les figures réservées à un objet précis et qui ne surgissent qu'à ce propos. Nous dirons qu'elles sont spécialisées, contrairement aux autres qui surviennent quel que soit le sujet abordé. Dans le registre spécialisé, nous trouvons principalement les métaphores militaires, monarchiques et rurales.

. La politique française contemporaine est envahie par le langage guerrier comme d'ailleurs toute notre vie économique. On décrit les choix en termes de stratégie et de tactique. On mène des batailles, on monte au combat avec panache, on y subit le feu roulant des critiques. Les hommes politiques ont tous leur commando, leurs troupes de choc. Chaque camp a ses francs-tireurs qui montent des opérations, mènent la guérilla contre le gouvernement ou le harcèlent. A la Chambre on se tire dans le dos, on pose des chausse-trappes, on avance en terrain miné, on veut descendre l'ennemi en flammes. Comme autrefois le maquis, le parlement est devenu le théâtre de vifs accrochages, de harcèlements, de manœuvres de diversion ou d'intoxication. Ou bien c'est Verdun : la guerre de position, de tranchées entre majorité et opposition. Les uns montent à l'assaut, les autres déclenchent un tir de barrage. On sape les positions adverses, on entretient le moral de ses troupes ou, plus prosaïquement, on se préoccupe de l'intendance. Voilà quelques-uns des termes que nous avons relevés dans la presse lors du débat sur les nationalisations de l'automne 1981... Les gaullistes ont leurs guodillots, le PC ses gros bataillons qu'il mobilise et lance dans la rue. La banlieue parisienne est la forteresse rouge, les circonscriptions sont des bastions qu'on enlève comme des places fortes. Qui n'a pas aujourd'hui son quartier général, ses antennes, son état-major, ses lieutenants, son trésor de guerre, etc ? Mais attention, cette guerre-là possède aussi ses lois : « On ne tire pas sur une ambulance », paraît-il ! Arrêtons ici cette énumération, elle aura suffi à montrer combien ces images se sont banalisées, au point que nous ne les remarquons même plus ; elle suggère aussi que notre politique est devenue la poursuite de la guerre par d'autres moyens... Mitterrand a d'ailleurs relevé cette contagion pour la déplorer mais, à ses yeux, seule la droite est coupable[1]. En réalité, il n'échappe pas tout à fait à la contamination : il parle couramment de *son combat*, de l'*affrontement* (électoral) de la *conquête du pouvoir*... Ou encore, s'adressant aux socialistes qui viennent de le choisir comme candidat à l'élection présidentielle, il déclare : « On ne gagne que les batailles que l'on sait difficiles ou alors elles sont perdues ». Dans le domaine électoral, ce type de figures est si courant que l'on peut raisonnablement admettre qu'elles ont perdu tout pouvoir évocateur. C'est pourquoi nous n'avons pas relevé les figures guerrières utilisées par Mitterrand pour parler des élections, elles sont d'ailleurs assez peu nombreuses et parfaitement banales comme celles que nous venons de citer. Or, à part ces emplois qui ont perdu leur caractère métaphorique pour se solidifier en stéréotypes, le futur président recourt peu au discours de la guerre et quasiment pas lorsqu'il parle du camp d'en face pour lequel on pourrait croire a priori ce type de langage adapté. Certes dans *Le*

---

1. *L'abeille et l'architecte*, p. 144.

coup d'Etat permanent, les images militaires fourmillent mais le thème du livre et le personnage de de Gaulle s'y prêtent bien. Par la suite, le registre s'éteint rapidement et, seize ans plus tard, dans *Ici et maintenant*, une seule métaphore militaire vise Giscard à propos des *hommes du président* qui « Débouchent régulièrement sur les points névralgiques de la propagande officielle » c'est, ajoute Mitterrand, « Un kriegspiel bien mené. Giscard a gagné sa petite guerre contre la liberté de l'information ». Dans le reste de son œuvre la tendance semble identique : son affrontement avec Giscard n'appartient pas au registre de la guerre, même en dentelles, parce qu'il préfère utiliser contre lui des figures moins usées ou plus suggestives. Mitterrand ne recourt au registre guerrier qu'en deux circonstances bien spécifiques : lorsqu'il parle de la vie interne du PS et à l'occasion de ses relations avec le PCF.

Tout d'abord, le futur président utilise des métaphores militaires pour parler des socialistes. En 1971 à Epinay, le parti socialiste est exsangue, il faut donc *recruter* et Mitterrand de s'interroger : « Où trouve-t-on les militaires sinon parmi les civils ? ». Cette image du militant-militaire lui est toute naturelle. Dans *Ma part de vérité*, il écrit : « Les militants portent bien leur nom. Ce sont des soldats volontaires dont le combat implique un haut degré de renoncement et d'abnégation ». En 1969, il dénonce l'état-major de la gauche classique qui « Affiche la superbe du général Lebœuf assuré de gagner sa guerre s'il a son comptant de boutons de guêtres ». Après Epinay, c'est toujours à une troupe que ressemble le PS. La minorité « Défaillirait à la pensée de n'être pas le commando de pointe, à l'avant-poste du combat », (il s'agit du CERES en 1976). Il s'y trouve aussi des vieux grognards comme Defferre, avec qui Mitterrand a partagé de *grands combats* : c'est un *manieur d'épée* qui *dédaigne la feinte*. « Une certaine image répandue le range à l'arrière ou en flanc-garde de la dynamique socialiste : je l'ai toujours vu devant depuis Epinay ». Et Mitterrand le décrit débattant de la *réforme* et de la *révolution*, « Champ de mines où les duellistes ferraillent »... Dans *Ici et maintenant*, c'est sur le même ton qu'il dénonce un certain type de *militant chrétien* qui a adhéré au PS « Muni de son bagage, de son paquetage et de son armement pour enlever la citadelle ». De même, il déplore le sectarisme des tendances au sein du parti, « Chacune d'elles s'organisant en commando avec ses mots d'ordre, sa façon d'occuper le terrain, et son encadrement ». Il avoue avoir *bataillé contre le CERES*, mais il se défend de disposer de *troupes organisées* dans le PS et refuse qu'on appelle l'équipe qui l'entoure *ses hussards noirs*... On ne saurait mieux décrire le climat qui régnait dans le parti socialiste en 1980. Mais il est surtout remarquable que, hormis quelques références à la vieille maison, ce soient les images militaires qui lui viennent spontanément à l'esprit pour parler de son parti. Il le voit comme une troupe, certes désordonnée ; c'est son armée ou, tout au moins, il l'imagine ainsi sans l'avouer ouvertement.

Les métaphores militaires explosent littéralement à propos des relations entre le PS et le PCF. En voici quelques exemples tirés de son dernier livre. A propos de l'attitude du PC depuis la rupture du programme commun, il parle d'*opération suicide*, de *tactique de la terre brûlée*. Il accuse *l'état-major communiste* de rêver à «un Yalta intérieur avec la droite» ; «G. Marchais pratique l'union de la gauche comme l'Union soviétique la détente : à coups de canon»[2]. Racontant les négociations d'actualisation du programme commun, il affirme avoir répondu au PC qu'il ne concevait pas «Le gouvernement de la France comme un butin, gouverné par une mosaïque de ministères transformés chacun en forteresse ou en blockhaus, tous feux dirigés sur celui d'à côté, propriété exclusive des partis qui en détiendraient le commandement». De même, accuse-t-il les communistes de se «Livrer à une petite guerre contre la majorité socialiste», dans certaines mairies d'union de la gauche, et il leur propose, à ce sujet, «Un pacte de non agression comme en 1934». A propos de la ligne révolutionnaire du PCF, il se demande si c'est du *tir court* ou du *tir long* et ainsi de suite. Un tel langage, dans son insistance même, marque bien la manière dont Mitterrand concevait à l'époque les relations entre les deux grands partis de gauche, c'est-à-dire comme une véritable guerre fratricide (l'expression *guerre civile* lui vient d'ailleurs à plusieurs reprises pour évoquer les divisions de la gauche).

Un autre genre de métaphores spécialisées relevées chez Mitterrand concerne le pouvoir. Il s'agit tout d'abord du pouvoir de la droite contre lequel il utilise habituellement des images monarchiques. Dans *Le coup d'Etat permanent*, les métaphores monarchiques sont au moins aussi nombreuses que les figures militaires. De Gaulle y est comparé à *Louis XIV*, à *Napoléon*, à *Louis Philippe* : «Louis Philippe et Charles de Gaulle prétendants de la branche

2. Cité par Huet S., *Tout ce que vous direz pourra être retenu contre vous*, Paris, J. Picollec, 1981, p. 124.

cadette, comblés des qualités qui font les héritiers légitimes, mais voués par un destin moqueur à tenir le pouvoir de l'usurpation ». Le secteur réservé ressemble au *secret du roi*. Ajoutons-y le règlement autonome, nous dit-il, « Il ne manque plus un bouton de guêtre à la revue de détail du pouvoir absolu ». Et encore, les ministres de de Gaulle « Ont démissionné de leur ancienne dignité tout en conservant titres, palais, carrosses et un strapontin dans le salon de la Pompadour, au cénacle de l'Elysée ». Entre les *barons* du gaullisme « La compétition fait rage pour la possession de fiefs en deshérence », etc. Pompidou en aura aussi son comptant, mais c'est à propos de Giscard que Mitterrand a le plus utilisé ce thème. Dans *Ici et maintenant* le ton est donné dès la première référence au président de l'époque : « Un président qui règne, monarque souverain d'un pouvoir absolu ». A la même époque, dans une conférence de presse, il déclare : « Je le verrais bien baron du chômage, marquis des inégalités, comte de la hausse des prix, duc de la technocratie, prince de l'électoralisme et roi de l'anesthésie ». Barre, son premier ministre, est un *commis* à qui il *adresse des missives*. A la veille des élections de 1978, il compare ce même Barre à *Calonne* et *Necker* (premiers ministres de Louis XVI). De même, sous le règne de Giscard, nous dit Mitterrand, le Quai d'Orsay est devenu « Cette ruelle chez la marquise où nos ministres se font gloire d'occuper un tabouret ». Le président « dîne et couche à la télévision » dont il use comme d'un *usufruit régalien*. Il *tient en lisière* ceux qui sont tombés en *disgrâce* (comme de Broglie). La détention de Delpey, l'ancien conseiller de Bokassa, « Ressemble trop à une lettre de cachet »...

Ces thèmes ont été suffisamment repris pendant la campagne présidentielle de 1981 pour que nous ayons besoin d'allonger les citations. On se souvient que *Le Nouvel observateur*, plus « pédagogique », avait même représenté sur sa couverture le président sortant perruqué comme Louis XV. Ces figures, clairement hyperboliques, ont parfois paru fonctionner pour elles-mêmes; leur excès pouvant faire oublier la raison première qui les avait inspirées. Il ne s'agissait pas, bien sûr, de brocarder simplement quelques traits un peu ridicules du président sortant et de sa famille, mais surtout de pousser à son paroxysme le vieux thème du pouvoir personnel déjà utilisé contre de Gaulle et Pompidou. C'est pourquoi, Mitterrand applique aussi au régime giscardien un grand nombre d'images policières. Bien sûr, à propos des « affaires » de Broglie, Boulin, Bokassa... puisque l'aspect policier était une de leur dimension, mais il va beaucoup plus loin encore : pour lui, le régime même a cette nature. Il accuse le gaullisme d'être entré *par effraction dans l'Etat*. Les élections de 1968 sont à ses yeux un *hold-up électoral*. « La presse est en résidence surveillée », la télévision est le siège de *trafics d'influence*. Mitterrand représente Giscard *posant des verrous partout*. Il accuse le gouvernement de vouloir *cadenasser les procédures pénales* ou d'organiser le *racket des voix des Français à l'étranger* grâce à un « Vade-mecum de la fraude sous timbre du Quai d'Orsay... avec des faux papiers, des agents doubles, des procurations en blanc, des ministres qui se partagent le butin »... La fonction de ces images devrait maintenant apparaître clairement : faute de pouvoir reprendre la thèse excessive de la Vᵉ République dictatoriale, les nombreuses métaphores monarchiques et policières permettent de suggérer, sans le dire ouvertement, que le régime de Giscard n'est plus démocratique, qu'il représente un danger pour la République. Parlant des élections de 1981, Mitterrand peut alors lancer cet avertissement : « Il ne reste qu'à doubler la mise, ou plutôt le septennat, pour qu'il prenne un tour définitif, monarchie populaire et si peu populaire ». Il a toutefois l'élégance de laisser au lecteur le soin de conclure de lui-même que Mitterrand s'offre pour sauver la République et la liberté...

Dans le même ordre d'idées, le recensement des métaphores utilisées par Mitterrand dévoile aussi sa conception du pouvoir. En effet quand il en parle, des images équestres lui viennent spontanément à la bouche. Sur de Gaulle en juin 1940 : « Un homme qui se jette au travers de la fatalité, la saisit aux naseaux, l'oblige à changer de route et crée, par la vertu de son pressentiment et de sa volonté, un cours nouveau »[3]. Après 1958, le général doit *fouetter la monture* pour arriver à ses fins. « Les membres de son gouvernement s'entraînent au dressage qui assouplit l'échine ». De même, la décomposition de la majorité au printemps 1976 évoque pour lui « Ces époques un peu folles où ceux qui croient encore ordonner l'attelage ignorent que les rênes sont tombées de leurs mains ». Alors Giscard doit *cravacher*, « Son attelage tue sous lui ses chevaux. Mais on attend l'entrée en lice des équipages de réserve ». Le président de l'époque a cependant une manière bien à lui de gouverner que Mitterrand évoque grâce à cette petite parabole : « A l'arrêt des omnibus de Londres, lorsque le cocher

3. *Le Monde*, 23 septembre 1971.

s'absentait pour ses commodités un employé avait pour charge de monter sur le siège et de claquer du fouet pour faire croire aux chevaux que leur maître était toujours là. Dans la France contemporaine ce stratagème n'est pas réservé aux chevaux », etc. Les images équestres servent aussi à Mitterrand pour parler de lui-même. A plusieurs reprises il dit *tenir les rênes* (du PS, du pouvoir, de l'union de la gauche...). Après l'échec des législatives de 1978, il se demande si l'événement ne se *dérobe* pas sous lui comme *un cheval devant l'obstacle* mais répond qu'il faut le juger sur *la distance et non sur l'accident*. Ou encore, les socialistes ayant ravi au PC le premier rôle à gauche, les responsables communistes *ont bronché devant l'obstacle*, alors ils *fouaillent le PS* qui *regimbe*, etc. Il ne fait donc pas de doute que pour Mitterrand l'action politique et surtout l'exercice du pouvoir possèdent des lois qui ressemblent à celles de l'équitation. Dans son esprit, les institutions et les partis sont comme les chevaux ; il faut les dresser, les dompter, les tenir avec fermeté et souplesse. Le rapprochement avec les images monarchiques s'impose tout naturellement : la vision du pouvoir qui habite Mitterrand est assez aristocratique, non seulement du fait de la nature sociale de ce sport, mais surtout parce que le cheval passe pour une affaire d'intuition, d'instinct, voire de talent autant que de savoir faire. Par rapport à la majorité des hommes politiques qui, comme Giscard, utilisent plutôt les images mécaniques ou automobiles pour parler de la conduite des affaires, on voit aussi apparaître le passéisme de Mitterrand, passéisme que dénotent fort bien ses images rurales.

On connaît le goût de Mitterrand pour les clichés ruraux, voire campagnards. Là encore, il va à contre-courant du monde politique où dominent les métaphores tirées de la civilisation urbaine et industrielle auxquelles il faut ajouter le maritime depuis que le général a imposé sa marque sur nos institutions. En effet, il y a chez de Gaulle un marin refoulé qui se console en puisant à tout propos dans la mer et les bateaux une foule d'images et de comparaisons [4]. Peu à peu, ces images maritimes, du fait de leur emploi répété par de Gaulle, se sont diffusées jusqu'à devenir banales. En 1974, les partisans du ministre des finances de l'époque ne

---

4. Jean Touchard en a effectué la recension : *Le gaullisme*, Le Seuil, Paris, 1978, pp. 328-335.

criaient-ils pas : « Giscard à la barre » ? Or Mitterrand semble imperméable à cette mode sauf, justement, à propos de de Gaulle
dans une sorte de pastiche du style gaullien : « La guerre et la
défaite permirent à de Gaulle de déployer son envergure, de do-
miner de la voix la clameur des tempêtes, de faire de sa volonté le
roc sur lequel courants et ressacs se brisèrent ». Après la libération, « Il partit un peu plus loin méditer sur l'inconvénient des
mers calmes, du vent qui tombe et du goût insipide qu'ont les
hommes pour le bonheur à la petite semaine »... Pour le reste,
Mitterrand tourne le dos à la mer et adore parler de la campagne.
Il aime répéter : « Je fais partie du paysage de la France » et tout le
monde se souvient du motif de fond de sa principale affiche lors
des élections de 1981. On retrouve ce goût dans le titre de deux de
ses ouvrages (*La paille et le grain*, *L'abeille et l'architecte*). Pourtant curieusement, en parcourant son œuvre, on découvre que les
métaphores rurales sont assez rares ; il parle abondamment de la
campagne mais en tire peu d'images. En majorité, celles-ci se
rattachent au thème de l'arbre et des racines. Ainsi écrit-il de
Pompidou au moment de sa mort : « Etrange aventure que celle de
ce monarque aux racines de terre profonde ». Sont également cré-
dités de racines de Gaulle, après sa mort, et quelques-uns de ses
amis dont Defferre, « Ce protestant de souche dure là où poussent
les oliviers et où naissent les camisards, on ne le transplante pas
comme on veut. Il porte avec lui son terreau »... On l'aura compris, cette image lui sert à décerner un brevet de caractère,
d'authenticité. C'est la raison pour laquelle il applique la métaphore à lui-même : elle lui permet de définir son équation personnelle, d'imposer un personnage qui ait de l'allure et de suggérer
son attachement à tout un système de traditions et de valeurs
terriennes.

Dans l'image des racines, il y a d'abord chez Mitterrand l'ob-
session de la durée. Ce sont elles qu'il évoque à propos des événements qui ont failli briser sa carrière (les « fuites », l'Observatoire,
mai 68) : « Après ces moments difficiles, je suis revenu dans la
Nièvre, dans le Morvan... J'ai vraiment les pieds *ancrés* dans ce
sol... »[5]. Car le symbole préféré de Mitterrand c'est l'arbre qui
résiste à la tempête et qui prospère sur le sol du pays. C'est
pourquoi lui-même se voit un peu comme un chêne, arbre dont
on sait la place qu'il occupe dans la mythologie gauloise. Il en

5. Cité par Borzeix J.M., *op. cit.*, p. 139.

plante dans sa propriété des Landes et en parle à toutes occasions. A l'entendre, on penserait quelquefois qu'il passe sa vie dans les forêts. Par exemple : « J'aime la forêt, mon itinéraire de vie me conduit, me ramène de la forêt des Landes à celle du Morvan ». Entre les deux, Paris et la vie politique semblent ne plus compter. Autrement dit, le Mitterrand qu'il nous est donné de voir ne compte guère à ses yeux et il va nous introduire à son véritable personnage.

C'est d'abord une affaire de famille. Comme tout bon français, il l'est de *vieille souche*. Sa *généalogie*, nous dit-il, remonte jusqu'aux *brouillards du moyen-âge*. Ses « Ancêtres berrichons étaient patriotes comme ils respiraient ». Lui-même est fils de *Français de pleine terre*. Il ne manque jamais une occasion de faire le récit de son enfance rurale, récit qui compte parmi ses meilleures pages et où les allégories ne manquent pas. Mais il s'agit toujours d'en arriver à l'époque actuelle et d'imposer au lecteur l'idée que, à sa manière, Mitterrand reste un rural : « Il me faut, pour ne pas m'égarer, garder le rythme des jours avec un soleil qui se lève, qui se couche, le ciel par-dessus la tête, l'odeur du blé, l'odeur du chêne, la suite des heures ». Voilà un vrai campagnard qui assume ses origines avec fierté : « Je suis et je reste de ma province. Mon écriture s'en ressent comme on a un accent ». Nous avons vu que son style appartient plutôt à la république parlementaire, mais l'on comprendra plus loin combien celle-ci reste, dans son esprit, profondément liée avec la France rurale.

Mitterrand se sert aussi de l'image des racines pour développer la thématique du ressourcement au contact de la nature. A Latche, nous dit-il, « Je me défais de la politique en changeant de vêtements » et « Si je laisse vaquer mon esprit au gré des sollicitations du petit monde qui m'environne je saurai mieux, de retour à Paris, ce que je dois, ce que je veux ». Car, au contact de la nature, il acquiert la sagesse, l'expérience et le vrai savoir : « Rien ne me parle mieux de l'esprit et de la matière que la lumière d'été à six heures de l'après-midi, au travers d'un bois de chênes ». Autrement dit : le savoir authentique s'acquiert au contact de la terre par une sorte de transfusion ou d'illumination. La connaissance des choses de la nature, explique-t-il souvent, est le seul savoir qui compte à ses yeux : « Je tire fierté d'appeler les arbres par leur nom, les arbres, les pierres, les oiseaux. Ma science me suffirait si je savais identifier tout être, toutes choses ». On aura reconnu ici, sans qu'il soit nécessaire de multiplier les citations, le vieux thème du savoir terrien opposé à la science moderne vue comme une forme d'obscurantisme. D'ailleurs la reine des sciences, pour Mitterrand, c'est la botanique classique (il l'utilise même pour classer les forces politiques[6]), parce que, sans doute, cette discipline ne s'embarrasse pas de l'abstraction et de la synthèse nécessaires dans la science moderne. D'où l'insistance avec laquelle il nous explique qu'il sent la nature : « Je me trompe rarement sur ces choses »... Mais ces images seraient de peu d'utilité si elles se limitaient à imposer un certain portrait de l'homme quotidien méconnu du grand public. C'est pourquoi, il prend toujours soin de les rapporter à son action grâce à des formules comme celle-ci : « La politique, séparée de la connaissance de la nature et des travaux quotidiens de l'homme, est comme une tige coupée, vite flétrie »... Alors son *Bloc-notes*, dans l'hebdomadaire du PS, prenait souvent l'allure d'un journal intime. Il parlait aux socialistes du chant du rossignol entendu un soir de printemps, de ses plantations abîmées par la sécheresse, du retard de la saison qui lui faisait craindre pour ses fruits, de sa bataille pour garder à Château-Chinon ses toits d'ardoise, etc.

Pourquoi une telle insistance sur cette image de campagnard ? Il faut se souvenir de l'organisation particulière de son lexique. Elle nous a laissé entrevoir que Mitterrand se voit un peu comme l'astre immobile autour duquel gravite l'univers. Plusieurs de ses textes montrent qu'il en est bien ainsi. Par exemple, en introduction à un recueil de ses écrits politiques, Mitterrand déclare : « Depuis trente ans et plus j'ai appartenu au même parti... Moi je n'ai pas bougé de place. Relisez les textes de ce gros livre et vous le constaterez. En dépit d'hésitations, ici ou là, d'approximations ou d'erreurs, au total je crois, oui, à l'unité de ma vie politique ». Et il explique à son interlocuteur que ce n'est pas lui qui a changé mais le *décor*. Cela n'a d'ailleurs étonné personne, car dans nos stéréotypes nationaux le grand politique se présente bien ainsi. Habité par l'histoire, chez lui la certitude est innée, il l'a reçue en partage dans le berceau en même temps que la qualité de vrai français héritée de vingt générations. Le destin l'a désigné du doigt et lui a assigné une place dont il n'a pas à bouger. Dans son personnage, tout est authentique, il n'y a rien de fabriqué ou d'immoral. Par exemple, interrogé sur son ambition personnelle, Mitterrand répond : « Il faut avoir de l'ambition. Les hommes

6. Cf. *Ici et maintenant*, p. 36.

politiques qui ont pour ambition d'être sous-secrétaires d'Etat, ce ne sont pas des hommes politiques mais des gagne-petit... Ce ne sont pas des responsables qui s'intéressent à la France, au sort des hommes »[7]. Mais toutes les ambitions ne se valent pas. Seule est *saine, naturelle*, l'ambition fondée sur un *projet* qui rencontre *l'adhésion des forces populaires* qu'il désigne également comme les *forces vives de la nation*. Ajoutons que l'identité entre la sève et les forces vives apparaît à plusieurs reprises chez Mitterrand. Dès lors, le lecteur n'aura aucun mal à comprendre le véritable sens de cette image de l'arbre qui semble hanter le futur président. Elle est destinée avant tout à suggérer un certain rapport, non pas avec la nature, mais avec la nation qui fait de Mitterrand un grand politique.

Il ne serait pas difficile de montrer à quel point il est en réalité assez éloigné de la nature. Tout d'abord par son style très apprêté et non sans afféterie. De même, quant au fond, il se garde de peindre des caractères entiers, des actions amples et épiques, ou de tomber dans le tellurisme qui caractérisent les écrivains naturalistes. Au contraire, il serait plutôt intimiste. Ses écrits nous donnent à voir une nature bien peu naturelle. C'est un décor pour son propre personnage, jamais un véritable partenaire. Il la peint toute en douceur, sagement ordonnée et, surtout, travaillée ; car il n'y cherche pas l'action des forces naturelles mais les traces de la main de l'homme. Ainsi aime-t-il nous entretenir de la forêt *celte* du Morvan ou de la hêtraie du Beuvray, « mémoire plus vieille que César », etc. Ici se vérifie le sens réel de son enracinement. Ce qu'il puise dans la terre ce n'est pas la force primitive de la nature, mais son contraire : les vertus solides qui ont fait la France en deux millénaires et que le travail de nos ancêtres a déposées dans son paysage. Voilà pourquoi sa nature est si féminine. Ses lieux préférés sont la roche de Solutré, *la chute lente* du Ventoux, *la tête ronde* du Beuvray, la Loire *laquée* de Saint-Benoît... Ce sol si doux dans lequel Mitterrand plonge ses racines, on n'en doutera plus, c'est la mère patrie. Ecoutons le parler de la relation qu'il entretient avec elle :

« Je n'ai pas besoin d'une idée de la France. La France je la vis. J'ai une conscience instinctive, profonde de la France. J'ai la passion de sa géographie, de son corps vivant. Là ont poussé mes racines. L'âme de la France, je n'ai pas besoin de la chercher : elle

---

7. Cité par Borzeix, *op. cit.*, p. 107-108.

m'habite comme elle habite notre peuple tout entier. Un peuple qui colle à sa terre n'en est plus séparable. Je suis né dans la France en demi-teinte... Je n'ai pas besoin qu'on me raconte d'histoires sur la France. Ce que j'éprouve d'elle se passe d'éloquence »...

Voilà très exactement le vrai français selon Barrès : enraciné dans sa province, porté par une tradition ancestrale, éclairé par la sagesse qu'il a reçue en héritage de ses pères, il n'a pas besoin pour exprimer cela de recourir à l'éloquence ou aux grands mots. Son lien avec la France est de nature magique et, comme nous le laisse entendre Mitterrand, la raison n'a rien à y voir. De plus, il faut se souvenir que, pour Barrès et les chantres du patriotisme gaulois, les vrais français possèdent indivisiblement la France entière. Ils diront tout naturellement, comme Mitterrand, *notre* pays, *notre* agriculture, *notre* industrie, *notre* armée... Et puisque c'est son bien, il sera partout chez lui en France. Certes Mitterrand avoue : « J'ai du mal à retrouver mes pistes dans la France du béton. Mais là encore, puisque c'est la France, je me sens chez moi ».

On devine maintenant que cette métaphore des racines est beaucoup moins gratuite qu'il y paraissait au premier abord : elle sert, en réalité, à récupérer l'idéologie nationale au profit du futur président. Il est frappant de constater que les thèmes nationaux sont massivement présents, tout au long de son œuvre, comme s'il s'agissait de la couche la plus profonde de sa pensée, du socle sur lequel s'est peu à peu édifié le reste de sa philosophie. Dans les années cinquante, il les formulait beaucoup plus ouvertement. Puis, à mesure qu'il s'impose comme leader de la gauche, l'image des racines et la thématique rurale prennent le relais... Car Mitterrand ne reprend jamais telle quelle l'idéologie de la vieille droite nationale. Il la réinterprète et s'en sert à des fins très concrètes.

Dans son esprit, posséder des racines signifie avoir une légitimité politique. Ainsi, en 1964, il nous présente de Gaulle inquiet « A la pensée que la postérité pourrait lui contester, à lui, maître d'occasion, le droit qu'elle reconnaît aux monarques garantis par une dynastie et aux démocrates élus par leurs villages » (on aura deviné dans quelle catégorie se range Mitterrand). C'est pourquoi les métaphores rurales lui viennent spontanément quand il évoque ses liens avec sa circonscription électorale. Par exemple en mai 1972, au soir d'une tournée et d'une marche aux alentours de Château-Chinon, il note : « La fatigue m'a cloué sur place comme un arbre, les racines poussent vite à qui sait s'arrêter ». Et, pour signifier l'importance qu'il attache à son travail de député, il s'exclame « Moi j'aime la vie à la base ». Voici comment il décrit cette vie à la base dans *Ici et maintenant* :

« Que ferais-je à Château Chinon sans les animateurs du Comité des Fêtes, de l'Union sportive, du Club du Troisième âge, de l'Union des commerçants, du Centre Hippique, sans le bénévolat des sapeurs pompiers, secouristes polyvalents et merveilleux de dévouement ? Que serait la vie culturelle sans les équipes de recherche archéologique, sans le noyau scientifique et littéraire de l'Académie du Morvan, sans les Galvachers, l'un des premiers groupes folkloriques de Bourgogne et, pour mon musée, sans le syndicat du Parc régional ? Ici ce sont les parents d'élèves qui inspirent nombre d'ajustements heureux de notre vie scolaire, là ce sont les groupes de locataires qui m'alertent quand il le faut »...

Artifice ? Général en tournée des popotes qui rend hommage à la troupe ? Il s'en défend : « Je parle de ce que je connais, de ce petit monde qui est le mien ». Mais pourquoi ce plaidoyer qualunquiste de la part d'un chef de parti à la stature nationale ? C'est que, dit-il, « Des microcosmes comme celui-ci expriment mieux que les discours abstraits ou de fumeuses théories la réalité de la vie ». On aura reconnu le raisonnement que Mitterrand tenait déjà à propos de la terre, mais ici le vrai savoir lui vient de la fréquentation des gens simples, demeurés près des choses simples, qui ne se laissent pas tourner la tête par les abstractions du monde moderne : « Les hommes qui prétendent faire de la politique sans rester au contact permanent avec les gens, et les gens les plus simples, ne sont que des technocrates ignorants. J'apprends beaucoup plus en passant une heure sur un champ de foire qu'en consultant de très épais et très sérieux dossiers ».[8]

Le lecteur aura deviné qui sont ces technocrates ignorants et qui se trouvait à leur tête avant mai 1981. Mitterrand écrit à propos de la journée de l'arbre lancée en 1976 par Giscard :

« L'idée d'inviter les Français à planter des arbres est une bonne idée... Mais planter en avril ! D'heureuse l'idée devient fâcheuse. A tournebouler les saisons, les fruits ne passent pas les promesses des fleurs... Dommage que depuis Domrémy, Sainte Catherine ait perdu la voix. En soufflant à l'oreille du chef de l'Etat qu'il est moins facile de toucher aux arbres qu'aux indices, elle l'eût mieux

8. Cité par Borzeix J. M., *op. cit.*, p. 146-147.

conseillé que les experts... Je me méfie de l'esprit de système, cette peste. Mais pour moi tout se tient. Planter un arbre le 16 avril signifie un choix politique. Ce n'est pas le mien. La forêt elle aussi, pose un problème de société ».

Pauvre Giscard ! Il n'a pas de racines, donc pas de légitimité profonde et pas de vrai savoir : « C'est sûrement quelqu'un de valeur mais il me paraît moins intéressant que trois chèvres dans un champ ou un bon roman »![9] Face aux technocrates parisiens qui n'entendent rien à la vie réelle, les hommes politiques comme Mitterrand expriment donc le pays profond. Cette dialectique très radicale-socialiste est une constante dans l'œuvre de Mitterrand. *Le coup d'Etat permanent* s'en prend déjà aux technocrates : « Séparés du peuple par l'épaisseur d'un monde définitivement clos, ils franchissent les étapes de la carrière jusqu'aux sommets sans avoir à connaître les exigences vulgaires qui épuisent, de dimanche en dimanche, le praticien de la politique villageoise... Ils tranchent, ils décident, ils décrètent avec un mépris affiché des habitudes démocratiques qui leur semblent contemporaines du fumier devant la porte des fermiers lorrains ». Telle est la véritable portée de ces images rurales. Elles reprennent, sous une forme à peine neuve, les vieilles oppositions entre Paris et province, entre élus locaux et technocrates publics, entre savoir pratique et théorie... et placent naturellement l'orateur du bon côté, comme le signifiaient si bien son slogan et son affiche électorale de 1981. Interrogé sur la signification de cette affiche où l'on voyait en fond un village du Morvan serré autour de son église, Mitterrand déclare :

« Je n'ai vu aucun inconvénient, j'ai même vu beaucoup d'avantages à symboliser une certaine France dont on pourrait penser qu'elle cède du terrain, la France rurale. Il y a beaucoup de citadins qui y pensent encore et qui aimeraient bien la retrouver et retrouver surtout ce type de civilisation, de la réflexion, de la méditation, du silence, une certaine lenteur qui se trouve aujourd'hui terriblement bousculée par une société qui n'a pas trouvé les normes de sa civilisation ».

Nous avons dans ce court passage, la clef essentielle de cette thématique rurale si insistante chez Mitterrand. Il a choisi de pincer une corde particulière de ses contemporains, confrontés

---

9. Cité par Giesbert F. O., *F. Mitterrand ou la tentative de l'histoire*, Paris, Seuil, p. 294.

à la crise du modèle industriel et hantés par la nostalgie d'une société transparente, immobile, où chacun trouve naturellement sa place dans une sorte de simplicité originelle. Peut-être y croit-il lui même ? Cela cadrerait bien avec le passéisme que nous avons déjà noté à propos du pouvoir. En tous cas, Mitterrand prononce trop d'éloges envers les techniciens qui l'entourent, lui aussi, pour qu'on le croie vraiment sincère quand il dénonce la technocratie. Cette dénonciation vise Giscard et son gouvernement. Mais surtout, elle conforte Mitterrand dans sa détermination à rester un politique et un lettré traditionnels. Giscard n'avait donc pas tout à fait tort en le taxant d'homme du passé. Il traduisait ainsi le décalage de son adversaire par rapport à la montée des techniciens depuis trente ans. L'intelligence de Mitterrand aura été de comprendre que les Français s'en lasseraient. Il a su, par contraste, cultiver son image patriarcale d'homme solide, terre à terre et sage. Et il a habilement cadré cette image dans une reprise des mythes qui firent la fortune de la république radicale.

On aurait tort d'imputer cela au seul calcul politique, car, nous l'avons dit, le discours trahit l'être tout entier. Pour rester dans un registre familier, on nous permettra d'user à notre tour d'une image historique. On raconte qu'au Bas-Empire, l'empereur Constance, pénétrant dans Rome, se désola devant la splendeur monumentale qui témoignait à ses yeux d'une grandeur qu'il sentait perdue à jamais et inégalable. Mitterrand fait parfois penser à Constance. Il semble hanté par un passé où la France brillait par la gloire de ses armes, le génie de ses lois et de sa culture. Non qu'il ait le sentiment d'une déchéance, mais plutôt d'une perte attestée par les constructions du passé que ce soit l'œuvre révolutionnaire, l'équilibre des institutions de la République parlementaire, l'harmonie de la société rurale de son enfance, les édifices d'autrefois (J'aime les églises romanes, confesse-t-il, j'y passe beaucoup de temps)... Si nous avons perdu cette grandeur et cette harmonie ce n'est pas par une sorte de malédiction, mais, on le verra, parce qu'une faute a été commise : nous nous sommes abandonnés au règne de l'argent, nous avons aliéné la nation au capitalisme multinational, nous avons renoncé aux grands desseins.

Nous espérons que cette analyse du premier volet du système métaphorique de Mitterrand aura fait sentir au lecteur combien cette recherche peut être révélatrice. Certes il y a peu de chances pour que Mitterrand avoue jamais qu'il conçoit le PS comme son armée ou qu'il se voit sous l'aspect d'un chêne planté au cœur de la nation. En effet l'avantage du procédé métaphorique réside en ceci qu'il laisse à l'orateur la possibilité de prendre ses distances. L'auteur d'une métaphore semble toujours dire à son auditoire : n'allez pas prendre cela au pied de la lettre, ce n'est qu'une image. Mais lorsqu'il concentre sur un même objet un grand nombre de figures puisées à une source identique, comme le fait Mitterrand, l'orateur tisse une sorte de discours second qui va, par insistance, s'infiltrer dans l'esprit de l'auditeur et lui délivrer un message à la manière d'une parabole. Les métaphores répétées permettent donc de n'assumer qu'à demi le propos, de communiquer des idées de manière détournée. L'étude de son style et de son vocabulaire aura déjà montré combien cela correspond au discours de Mitterrand...

Il en tire d'ailleurs d'autres avantages. En particulier, celui d'empiler plusieurs significations par le procédé du tiroir. Ainsi dans le titre *L'abeille et l'architecte*, à part le clin d'œil de l'apiculteur que fut Mitterrand, on croit reconnaître la vieille opposition philosophique entre les créations de la nature et les constructions humaines. Pourtant le livre ne parle pas apparemment de cela. Au premier abord, c'est une sorte de journal de bord. On y voit tour à tour le premier secrétaire agir et réfléchir : *Je prends mon miel où je le trouve,* aime-t-il répéter. Au premier degré, la métaphore signifie : je suis un bon architecte (du socialisme français) parce que je vis en harmonie avec la nature à la manière d'une abeille. Mais on trouve aussi en filigrane dans le livre une critique des tendances utopiques et de l'esprit de système qui menacent la gauche. C'est pourquoi, sous la plume de Mitterrand, la métaphore rebondit : les socialistes (l'architecte) doivent se méfier de la tentation totalitaire (la ruche) et choisir la liberté, le pragmatisme, l'humain contre l'idéal... Autre exemple de tiroir dans *Ici et maintenant.* Ce livre, paru fin 1980, expose le programme du futur candidat Mitterrand, c'est-à-dire un plaidoyer pour que la gauche assume le pouvoir en 1981, sans attendre que les conditions idéales soient réunies : le titre paraît donc bien choisi. Or le seul passage du livre où l'auteur emploie l'expression correspondante concerne la rupture du mouvement ouvrier avec l'Eglise officielle... au XIXe siècle. Privés de la foi, explique Mitterrand, les prolétaires n'avaient plus qu'à chercher leur salut ici-bas. Et, par un procédé que nous connaissons, il transforme ici-bas en *ici et maintenant* [10].

---

10. *Ici et maintenant*, p.14.

Autrement dit l'opposition suggérée dans le titre se redouble d'une autre, entre le monde tel qu'il est et l'au-delà que promettent l'Eglise comme les doctrinaires du socialisme... Au fond, il s'agit toujours d'un refus des théories et des systèmes de pensée totalisants dont on sait qu'ils exaspèrent Mitterrand. Enoncées ainsi de manière détournée, ces choses banales gagnent une apparence profonde et mystérieuse qui met l'auteur en valeur et laisse entendre au lecteur que ce qu'on lui dit va beaucoup plus loin qu'il ne peut l'imaginer. Nous le vérifierons dans le second volet de cette étude qui portera sur les métaphores que Mitterrand emploie continuellement, quel que soit le sujet abordé, et que nous avons nommées pour cela métaphores générales.

Un lecteur attentif aura certainement remarqué que le juridisme est un trait saillant du discours de Mitterrand. Ainsi parle-t-il sans cesse des *règles* de conduite qu'il s'est imposé, des *lois* de son parti ; il traite les relations entre partis de gauche à l'aide de termes empruntés au *droit* des contrats. De même a-t-il répété à de nombreuses reprises que le gouvernement devait appliquer son programme électoral car il s'agit d'un *contrat qui le lie au pays*. Les relations internationales lui sont aussi l'occasion d'employer de nombreuses figures tirées du droit. Naturellement tout cela est plutôt de nature métaphorique, mais la chose signale en même temps la prédisposition de Mitterrand à envisager le monde en termes juridiques. Personne ne lui reprochera de préférer le droit à la force, mais plutôt d'en faire une sorte de potion magique. (Par exemple il envisage une réforme des statuts du parti socialiste comme ultime remède aux luttes que s'y livrent les tendances). Cet amour de la loi, il le porte en lui au point de s'écrier lors de son face à face avec Giscard : «Je suis né légaliste, je le resterai». Car Mitterrand se voit un peu comme une sentinelle promue à la défense du droit, du bon droit. Ainsi contre de Gaulle, «Je lui dénie seulement le droit de considérer que les services rendus valent inscription d'hypothèque sur la nation et je déplore qu'il tire un bénéfice illicite de sa gloire, cet incomparable investissement historique». On sait que Mitterrand a fait des études de Droit et qu'il fut avocat, mais au-delà de sa personne, le juridisme est une caractéristique bien française. Mitterrand le sait ; il dira des électeurs français qu'ils forment *36 millions de juristes* et il aura pour décrire cette vieille caractéristique nationale quelques formules pénétrantes :

« L'amour du droit écrit qui nous est entré dans le sang avec la transfusion romaine et notre propension à régler par décret les affaires des hommes, nous poussent à codifier à tour de bras nos passions du moment. Nous compensons notre inconstance par des vues éternelles aussitôt gravées dans le marbre. Nos révolutions passent d'abord chez le notaire. Résultat : quinze constitutions en cent quatre vingt dix ans ».

Car Mitterrand a trop vécu et trop fréquenté l'histoire pour se faire beaucoup d'illusions sur la solidité de nos règles juridiques. C'est pourquoi, au-dessus des codes, il place une sorte de droit naturel qui se nourrit à trois sources bien précises : la religion, la morale et une certaine conception plus moderne du bien et du mal que nous nommerons clinique.

Dans les textes du futur président, les métaphores religieuses sont de loin les plus nombreuses et les plus insistantes. Il y a d'abord la bible qu'il cite tout naturellement à propos du conflit du Proche-Orient, de la guerre civile au Liban, de Mexico : « Vue d'en bas, c'est la vallée de Josaphat au jour de la résurrection »... Les formules bibliques de ce genre fourmillent dans sa bouche. A propos des agriculteurs, il s'écrie, « Heureux les fortunés, à eux les terres libres ! Et malheur aux jeunes contraints de s'endetter ». Ou : « Malheur aux dirigeants et malheur aux partis qui oublieront le désir unitaire des électeurs de gauche ». De même applique-t-il à Françoise Giroud la parabole de l'enfant prodigue et déclare : « Paix à son âme giscardienne. Elle nous reviendra de ses limbes », etc. Pour Mitterrand la bible est le maître livre. Il avoue la lire régulièrement, mais c'est en fait dans tout le fonds judéo-chrétien qu'il puise ses images. Ces métaphores religieuses sont tellement nombreuses qu'il faudrait un livre entier pour les citer toutes. A l'aide de quelques exemples, nous allons montrer comment elles dessinent une certaine vision du monde partagé entre les bons et les méchants.

Le camp des bons c'est d'abord la gauche unie. Le 30 avril 1974, dans un entretien télévisé avec M. Seveno, il l'évoque ainsi : « Cela me fait penser aux premiers âges du catholicisme : le refus de la violence, de la force, de la domination de l'être et aussi le refus du profit. Je ne sais pas si vous vous souvenez que pendant longtemps, l'église avait refusé l'usure et que l'argent puisse rapporter de l'argent par soi-même ». Ce parallèle entre la religion et le socialisme court dans toute l'œuvre de Mitterrand. Il lui permet d'abord de jouer sur le thème de l'unité de la foi par delà la multiplicité des églises. Car naturellement, le *rassembleur* de ce vaste mouvement du bien c'est lui-même. Comme pour les arbres, nous retrouvons ici son équation personnelle (d'ailleurs la mort des arbres qu'il aime est pour lui un *deuil de famille*...). C'est pourquoi il adore parler de son enfance en peignant des tableaux réellement bibliques. Mais surtout, son action politique depuis 1965 ressemble fort à une prophétie. Il se propose de reprendre au PCF «Le flambeau du changement radical et de la terre promise». L'union de la gauche, annonce-t-il en 1969, «Dévoilera la formule magique qui restituera au socialisme son éclat et fera se bousculer à nos bureaux de recrutement l'immense foule des catéchumènes» (remarquons au passage l'alliance des métaphores militaires et religieuses : le futur PS sera l'armée du bien). Peu à peu on se rallie à ses idées : «Mes hérésies sont devenues orthodoxies».

On comprend alors la dimension réelle de son verbe favori, *incarner : j'incarne la gauche unie, les aspirations populaires, le socialisme, l'élan national...* Dans le même ordre d'idées, il se refuse à «Quêter l'investiture de Moscou ou de Washington» et proclame son dédain pour «Ces bénédictions étrangères qui font, paraît-il, les bons candidats». Le projet socialiste lui fournit un *bon bréviaire*. L'élection du président au suffrage universel est un *sacre populaire*. En janvier 1981, lors de son premier discours électoral, il présente son programme sous la forme de «Dix commandements pour sauver la France». Un peu plus tard, tout naturellement, il explique que le nouveau président bénéficiera au début de son mandat d'un *véritable état de grâce*... L'image du petit village serré autour de son église est assez parlante pour qu'il ne soit pas nécessaire d'y insister : le publicitaire pouvait difficilement mieux faire pour résumer la thématique rurale et religieuse du futur président.

Cela ne serait rien encore s'il manquait le sacrifice personnel qui tient une place centrale dans les religions judéo-chrétiennes. Nous avons déjà dit que Mitterrand usait abondamment de ce thème alors qu'il dirigeait le parti socialiste. Cependant le don de son temps est peu de chose ; c'est réellement sa personne que Mitterrand offre au socialisme. Parmi beaucoup d'autres, en voici deux exemples. A propos du naufrage de la FGDS après mai 1968, il écrit : «Plusieurs leaders de la Fédération ont offert en holocauste à la droite celui dont elle réclamait la tête. Honorable prudence ! Des foules avaient crié : *Mitterrand au poteau !* Je connais quelques-uns de mes «amis» qui ont pensé qu'après tout ce serait bénéfice pour tout le monde. » Et juste après le coup d'Etat au Chili, il déclare : « Allende et ses compagnons morts pour leur peuple, la charge sentimentale que comporte ce sacrifice a sauvé la capacité victorieuse de tous les socialistes du monde »...[11] Il est incontestable que Mitterrand conçoit son rôle de leader de la gauche un peu à la manière d'un apostolat. Son style tout en allusions et en métaphores vient aussi de sa volonté de nous délivrer des paraboles. Beaucoup de ses chroniques dans *l'Unité* ressortissent de ce genre particulier et l'on imagine la perplexité de bien des militants à leur lecture. A titre d'exemple, nous citons ci-après l'une de ces petites paraboles (texte 3). Le lecteur n'aura pas trop de peine à imaginer le personnage correspondant à Mitterrand.

Face à lui, se trouvent *les puissances de l'argent*. C'est la formule qu'il emploie le plus couramment pour désigner la classe dominante (on y aura reconnu une dérivation des « puissances du mal »). A partir de ce modèle de base et suivant une technique déjà étudiée, Mitterrand fabrique une foule de synonymes : *les maîtres de l'argent, les seigneurs de l'argent, la bourgeoisie d'argent, la dictature de l'argent, les débauches de l'argent*... Pour eux, « Qu'importe les hommes pourvu que ça rapporte une belle dîme ». A leur tête, bien sûr, les *multinationales sans âme et sans patrie*, les financiers internationaux, *ces croisés du coffre-fort* et les Etats-Unis, *saint des saints du capitalisme*... A des centaines d'occasions, Mitterrand a dénoncé *l'argent-roi*. Il faudrait ici citer tous ses discours électoraux dont c'était un thème constant. En voici deux extraits qui convaincront le lecteur de la véritable nature de cet argent-là. En décembre 1972 : « Nous n'avons pas besoin des maîtres de l'argent, l'argent !... Pour ce qui concerne l'argent, l'argent, toujours l'argent, eh bien ! oui ! Il faut que ce monde change ». Dans son discours d'Epinay : « L'argent qui tue, l'argent qui ruine, l'argent qui corrompt jusqu'à la conscience des hommes ». En 1981, le thème explose littéralement. C'est le maître mot de sa campagne comme on pourra le constater en lisant ses principales déclarations réunies à la fin de *Politique 2*. L'argent n'est donc pas seulement une idole sanglante c'est l'incarnation du mal et, lorsque Mitterrand déclare qu'il se sent « Le représentant des forces populaires contre les puissances de l'argent », on n'aura aucun mal à comprendre son état d'esprit...

---

11. *Le Nouvel observateur*, 8 octobre 1973.

Texte 3: Une parabole de Mitterrand

Vendredi 12 août

Dans l'avion d'Athènes, j'entame la relecture du *Jeune Joseph* de Thomas Mann, l'un des livres qui ont enchanté mes vingt ans et que Gallimard vient de rééditer. Une phrase m'arrête dès les premières pages. Il y est dit qu'à l'aube de la Genèse le messager de Dieu sur la terre, Semhazaï, avait désiré la vierge Ichkhara et essayé de la troubler. Ichkhara avait profité de ces dispositions pour arracher au tentateur le Nom de l'Unique, et munie du secret (secret ou talisman) s'était sortie d'affaire en s'élevant aussitôt jusqu'au ciel où Yahvé l'avait accueillie par ces mots: «Puisque tu as su échapper au péché, nous t'assignerons une place dans les étoiles», place appelée depuis Constellation de la Vierge. Semhazaï incapable parce qu'indigne de remonter au ciel était resté dans la poussière jusqu'au jour où Jacob, fils d'Isaac, avait eu à Beth-El la vision de l'échelle céleste. «A la faveur de cette échelle, écrit Thomas Mann, il parvint enfin à regagner sa patrie, fort penaud d'avoir dû se hausser sur les ailes du songe humain.»

Je pose un moment le livre sur mes genoux et regarde par le hublot. Nous survolons Céphalonie. De la mer monte une nuée qui brouille légèrement les contours découpés des îles. Je pense à ce Semhazaï qui, pour retrouver Dieu, dut attendre qu'un homme en rêvât.

(*L'abeille et l'architecte*, p. 311)

Pour servir le mal, il y a la droite, le gouvernement, Giscard qui « S'autorise à être le grand inquisiteur ». « Il va quêter à la porte des églises pour découvrir les candidats de complaisance qui pourraient nous gêner ». « A l'image de dieu le père, il a placé les bons à sa droite. En attendant le jugement dernier, c'est-à-dire les prochaines élections ». Il y a aussi le premier ministre : « Rome n'est plus dans Rome, elle est à Matignon ». Et puis les ministres qui, « Comme les chérubins de l'ancien testament, n'occupent qu'un rang modeste dans la hiérarchie ». Dans le camp du mal on trouve également la majorité parlementaire d'avant 1981. Le gaullisme : « De son antique religion ne demeure que la cérémonie. Ce sont des prêtres assermentés qui portent le saint sacrement ». En 1964, à la tribune de l'Assemblée nationale, il déclare à l'UDR : « Vous avez fait de la résistance intérieure et du gaullisme un magasin d'objets de piété dont vous tirez profit », etc. Les puissances de l'argent ont encore d'autres serviteurs comme ce M. Gimgembre, ancien dirigeant des PME, « Croisé toujours sur la route des lieux saints anti-socialistes » ou le conseil de l'Ordre des médecins, « Une boutique de plus dans le temple »... Mais elles ont surtout de puissants protecteurs : « La sainte alliance des orthodoxies... l'alliance Moscou-Washington tribunal de dernière instance pour le cas où quelque hérésie viendrait troubler le cours des choses » !

Comme dans toute affaire religieuse, le mal ne limite pas son emprise aux incroyants, il est aussi présent chez les fidèles et menace en permanence de les détourner de la vraie foi. C'est pourquoi Mitterrand utilise très souvent ces figures pour dénoncer ses nombreux ennemis à gauche. Dans les années soixante, il s'agissait des *docteurs de la foi socialiste* qui s'opposaient à lui et qu'il raillait dans d'invraisemblables accumulations de métaphores religieuses dont on lira un exemple dans le texte 4. Ils *vénèrent des dieux morts*, « Pratiquent la dévotion des chaisières qui ne laissent à personne le soin d'allumer les cierges », convoquent leur *tribunal de la Rote, lancent des anathèmes*. Ce sont les *sots de Marx*, des *grands prêtres*, des *kabbalistes*. Dans *La rose au poing*, il les accuse de succomber à la *tentation cathare* [12]. Car au sein même du parti socialiste, Mitterrand assiste aux assauts du mal toujours renaissant sous la forme de *l'esprit de chapelle*. Par exemple dans *Ici et maintenant*, à propos du fonctionnement interne

---

12. *La rose au poing*, Paris, Flammarion, 1973, p. 29-30.

Texte 4: Mitterrand et les docteurs de la loi

«Je ne suis pas né à gauche, encore moins socialiste, on l'a vu. Il faudra beaucoup d'indulgence aux docteurs de la loi marxiste, dont ce n'est pas le péché mignon, pour me le pardonner. J'aggraverai mon cas en confessant que je n'ai montré par la suite aucune précocité. J'aurais pu devenir socialiste sous le choc des idées et des faits, à l'Université par exemple, ou pendant la guerre. Non. La grâce efficace a mis longtemps à faire son chemin jusqu'à moi. J'ai dû me contenter de la grâce suffisante que j'avais reçue comme chacun en partage.»[...]

«Non. Je n'ai pas rencontré le dieu du socialisme au détour du chemin. Je n'ai pas été réveillé la nuit par ce visiteur inconnu. Je ne me suis pas jeté à genoux et je n'ai pas pleuré de joie. Je ne suis pas allé dans l'une de ses églises. Je n'ai pas prié, debout, près du pilier où m'attendait sa grâce, de toute éternité. Je n'ai obtenu de lui ni rendez-vous, ni révélation, ni signe privilégié. Si la preuve de l'existence d'un dieu tient à l'existence de ses prêtres, si cette preuve gagne en force et en évidence à mesure que s'accroît leur nombre, que s'aiguise leur intransigeance, que se multiplient leurs contradictions, le dieu du socialisme existe. Mais l'originalité de ceux qui le servent est précisément d'affirmer qu'il n'existe pas sinon sous l'apparence des faits et qu'alors il naît et meurt avec chacun d'eux, création continue, changeante, rigoureuse et créatrice d'elle-même. Le socialisme n'a pas de dieu mais il dispose de plusieurs vérités révélées et, dans chaque chapelle, de prêtres qui veillent, tranchent et punissent. Catéchumène parmi les catéchumènes entassés dans le narthex j'ai lu les livres sacrés et entendu les prédicants. Fidèles à leur religion ils enseignent la puissance des faits. Mais sur quel ton! Rares sont ceux qui préfèrent le conseil au précepte et l'examen au dogme. Hélas! le socialisme produit plus de théologiens que de savants. Cela m'a d'abord rebuté.» [...]

« Encore serais-je mal à l'aise de vivre avec le socialisme s'il était cette momie que conservent dans leur vitrine les gardiens de la Foi. Le socialisme, c'est aussi et surtout l'élan, le mouvement collectif, la communion des hommes à la recherche de la justice. Quand ils l'auront conquise, croyez-moi, il leur restera beaucoup à faire!»

(*Ma part de vérité* pp. 251, 253-254, 266)

du parti, il affirme que « Le mal est sorti du bien, le bien c'est la représentation proportionnelle (des tendances). » Le mal c'est le *sectarisme*, les *fractions* qui pratiquent *la flagellation*, qui veulent lui demander « La dixième preuve de l'existence de Dieu » et, particulièrement, le courant Rocard, « Courant sans frontière qui tente d'inhiber le parti socialiste, rassemblé autour de l'étendard, nouveau Labarum [13] annonçant "Le socialisme est mort" ». On voit l'intérêt de cette métaphore : tout le monde admirera la culture de Mitterrand mais seuls les initiés comprendront le message dont on a vu la signification plus haut.

Puis, en dehors du parti, il y a les écologistes, « Ces boutiques où l'on vend deux mille ans après, des morceaux de la vraie croix », les *intellectuels bien parisiens* qui critiquent le parti socialiste : des *prédicateurs de carême*, des *inquisiteurs*. Et puis encore les gauchistes, ces *missionnaires pleins de foi* qui prennent la Révolution pour la *grotte de Lourdes* et s'imaginent qu'elle peut vivre de *miracles*. Mais surtout il y a les communistes qui *quêtent pour des candidats de diversion*, comme Giscard, mais eux *sur les foires et les marchés*. Au PC, « On n'exclut plus, alors il faut bien excommunier » [14]. La direction communiste, dit-il, est *sans-âme*, elle lance des *anathèmes* au parti socialiste. Marchais — *Georges de Tarse* — excite particulièrement la verve de Mitterrand. Parmi les flèches innombrables qu'il lui a décochées depuis 1975, nous en citerons une très révélatrice. En 1980, il raconte comment, lors des négociations sur le programme commun, « Marchais nous regardait, nous et notre autogestion, d'un œil d'exorciseur devant le possédé. Vade retro satanas. D'ailleurs Marchais croit au démon. Alors maintenant, quand je lis les affiches communistes avec autogestion, promis, juré, en lettres majuscules, je pense à ce griot qui s'habillait en chèvre pour conduire son troupeau »…

Gardons nous de sourire trop vite devant ces quelques citations, car, ainsi rassemblées et énumérées bout à bout, les images religieuses acquièrent une force de présence, d'évidence qu'elles n'ont pas dans le discours mitterrandien où elles sont doublement discrètes. Au sens statistique bien sûr, puisqu'elles apparaissent par intermittence dans un texte qui, sauf rares exceptions, ne parle pas religion mais politique (d'où leur caractère

---

13. Constantin (306-337 après J. C.) premier empereur chrétien avait choisi la croix pour étendard de guerre (le Labarum) et comme devise « Sous ce signe tu vaincras ». Il passe pour l'inventeur de la religion d'Etat moderne...
14. Cité par Huet S., *op. cit.*, p. 121.

métaphorique). La discrétion vient aussi de ce que l'auteur, à l'aide de procédés rhétoriques, souligne souvent leur fonction métaphorique comme pour avertir le lecteur — je fais un mot, n'allez pas le prendre au pied de la lettre — de telle sorte que leur accumulation finit par ne plus choquer. Mais justement, nous savons que les mots d'esprit ne viennent jamais au hasard et leur recensement chez Mitterrand apporte des éclaircissements sur son caractère, son état d'esprit. En effet, pourquoi éprouve-t-il le besoin de faire des mots à propos de certaines cibles privilégiées ? On se souvient que le procédé est provoqué par une situation de gêne, de frustration, par l'existence d'un obstacle qui s'interpose entre le sujet et l'objet de son désir ; l'inconscient transgresse alors la censure de manière détournée. Les métaphores de Mitterrand nous en apprennent ainsi beaucoup plus que le discours explicite dans lequel elles s'insèrent comme le laisse pressentir son attitude envers les caciques de la vieille SFIO, ou contre Giscard, le PC, les écologistes, Rocard, etc. Ces gens-là gênent Mitterrand et il veut les écarter d'une manière ou d'une autre. Bien sûr il use pour cela de la lutte politique, mais il se moque aussi, déchargeant ses pulsions agressives par une voie honorable. Les rieurs ralliés de son côté, il feint de les laisser conclure librement. On retrouve ici l'un des traits les plus frappants de sa personnalité dans cette manière de s'avancer masqué, de préférer le demi-mot, la suggestion, de ne pas assumer vraiment ce qu'il dit.

A la lecture de ce qui précède, on peut aussi se demander pourquoi il puise ses métaphores de manière privilégiée dans la religion ? Il est probable qu'il n'en a pas lui-même clairement conscience. Tout au moins il le nie. Interrogé sur les raisons qui l'ont conduit à parler de l'état de grâce, il répond : « Je ne sais pas pourquoi cette expression m'est venue à l'esprit, elle était totalement improvisée et, si elle ne l'avait pas été, d'ailleurs je ne l'aurais certainement pas dite, j'aurais employé un terme plus juridique, plus en conformité avec ma formation de juriste ». Pour peu que la dénégation soit sincère, les images religieuses, son registre favori, viennent donc de couches plus profondes de sa personnalité, probablement de son éducation. Mitterrand nous le dit d'ailleurs à plusieurs reprises : « La bible a nourri mon enfance. Huit ans d'internat dans une école libre m'ont formé aux disciplines de l'esprit ». On voit que F. Mauriac ne se trompait pas quand il voyait en Mitterrand « L'enfant barrèsien dont la blessure chrétienne ne se cicatrise jamais tout à fait », « Le garçon chrétien qui rêvait devant les coteaux et les forêts de Saintonge et de Guyenne »[15]. Bien sûr, il reste un mystère dans la persistence un peu obsessionnelle de cette empreinte, plus d'un demi-siècle après.

En relisant ses textes des années 40-50, on constate que le registre religieux paraît beaucoup plus discret. L'explosion se situe clairement dans les vingt dernières années. On peut donc formuler l'hypothèse selon laquelle les thèmes religieux lui ont été politiquement nécessaires dans sa conquête de la gauche non communiste. En effet, les quelques extraits que nous venons de citer suggèrent que Mitterrand développe une sorte de gnose. Beaucoup de ses textes un peu obscurs s'éclairent d'ailleurs très bien à condition de substituer le terme « parfaits » aux mots *socialistes, PS, gauche* ou *militants*... Comme dans les gnoses classiques, on trouve chez lui deux principes en lutte. Le bien contre le mal avec leurs incarnations : gauchedroite, peuple-argent, Giscard-lui... On retrouve également chez Mitterrand les trois temps gnostiques. D'une part, le passé où ces principes étaient séparés, où l'harmonie régnait (la France rurale d'autrefois). D'autre part, le présent où les principes s'affrontent et se mélangent. Le mal y domine, mais il reste en nous de bons éléments issus de notre condition antérieure. Il faut donc les libérer du mal pour permettre à la communauté d'accéder au futur, troisième temps de la gnose, qui verra rétablie l'harmonie primordiale. A partir de ce schéma de base le système de Mitterrand peut se développer sur le modèle gnostique : il se fait connaissance pratique et indique les moyens pour obtenir le salut au premier rang desquels il y a le *rassemblement autour de lui, sur son nom*... Le sytème gnostique possède une très grande force parce qu'il offre à ceux qui veulent bien y adhérer une sorte de délivrance : les peurs, l'ignorance, les doutes, les frustrations, le sentiment de culpabilité inhérents à la vie en société, se trouvent expulsés hors de l'individu et fixés sur le seul responsable, le principe mauvais, *les puissances de l'argent*. A la place du « vieil homme » surgit un être nouveau armé d'une morale et d'un savoir simples que la gnose lui aura fabriqué en mélangeant les valeurs traditionnelles avec des éléments du savoir moderne.

Comme dans les gnoses classiques, Mitterrand propose donc d'abord une morale pratique, une morale de l'action. Par exemple, il demande à son parti de parler aux jeunes *de façon honorable*, il

15. Mauriac F. « Bloc-notes », *L'Express*, 30 octobre 1959.

fustige *la paresse d'esprit* de certains socialistes. L'autogestion représente pour le parti socialiste un moyen de se *garantir contre les
démons et les vices* du pouvoir. En 1969, il reproche à la gauche
non communiste de se livrer à des *coalitions immorales* avec la
droite. Il s'enorgueillit de ce que le programme de la FGDS *pé-
chait par absence d'hypocrisie*. *Ici et maintenant* se conclut d'ailleurs sur une évocation de la morale personnelle de Mitterrand.
Au nom de la morale encore, il porte un jugement sévère sur le
pouvoir giscardien. Les gouvernements de la Vᵉ République sont
sans scrupules, leurs politiques scolaire et culturelle reposent sur
un *raisonnement pervers*. A. Peyrefitte « Symbolise bien cette morale à cloche-pied », « Il n'a rien inventé sauf peut-être un certain
raffinement dans l'hypocrisie ». Mais c'est à propos des aventures
africaines de l'ex-président que l'indignation de Mitterrand atteint
son comble. Evoquant l'Empire centrafricain, il s'exclame : « Le
scandale, énorme à mes yeux, tenait tout entier dans la complaisance avec ce couronnement, ces festivités, ces copineries, ces
parties de plaisir, tandis qu'on tuait ». Giscard s'est *débarrassé de
Bokassa comme d'un remord*, « Il dépasse les bornes de l'impu-
deur », « J'étais gêné que notre pays se fut ainsi humilié » etc. En
mai 1981, lorsque le président sortant évoque le *Projet socialiste*,
de préférence aux 110 propositions, il s'écrie : « Tirer dans le dos
c'est sa spécialité » ; « Je me dresse face à lui pour le montrer du
doigt. Un président de la République... n'a pas le droit de com-
promettre la démocratie et le pays dans un combat sordide... Ce
n'est pas en concurrent que je proteste contre ces méthodes, c'est
en tant que citoyen français respectueux des traditions et des règles démocratiques et soucieux d'éviter le danger que ces procédés
font courir à la morale et à la démocratie ». Et il l'*abjure* de
« Reprendre une campagne digne et conforme à l'image que les
Français se font de la dignité ». Mitterrand se pose donc en juste
et en moraliste. Cette image, il se l'était composée face aux gaullistes depuis 1958, mais elle a pris en 1981 une insistance toute
particulière contre des adversaires usés par plus de vingt ans de
pouvoir sans partage et ébranlés par une succession de scandales
récents.

Cette vision classique du juste, qui vient de la République romaine, a perdu beaucoup de sa force. Et Mitterrand sait que les
Français attendent du pouvoir quelque chose de plus que l'honnêteté ou la parfaite moralité. Ajoutons enfin que, comme toute
gnose, le système de Mitterrand doit se donner les apparences

du savoir et de la science, au moins dans son vocabulaire. Pour ces raisons, ce n'est pas tant en moraliste qu'en clinicien que le futur président se propose de combattre le mal. En effet son discours associe souvent les images morales et les clichés médicaux, comme s'il établissait une parenté entre ces deux registres. Les métaphores médicales s'appliquent d'abord aux luttes internes à la gauche. En 1969, il *diagnostique* un « Etat de consomption où la gauche non communiste se meurt à petit feu. D'un accident aussi grave soit-il, avec un peu de chances et beaucoup de courage, on se remet[16]. D'une maladie de langueur c'est plus difficile surtout si l'on confie le soin de la guérison aux médecins qui entretiennent le mal » (ces mauvais médecins sont naturellement les caciques de la SFIO que Mitterrand veut déboulonner). De même, *le sectarisme* c'est *le bacille de Koch des partis*, le PC est *possédé par la rage antisocialiste* et *fabrique l'anticommunisme dans ses laboratoires*; le stalinisme serait-il comme le *paludisme*? « On se croit guéri et ça revient de temps à autre ». Ou encore, le vote écologique « Permet de satisfaire un petit prurit démocratique »...

Les métaphores médicales lui servent aussi pour parler des problèmes de la France. En 1980, il dénonce le *danger mortel* du dollar, le mal qui *ronge la balance des comptes* et, pendant sa campagne présidentielle, il parle du *cancer du chômage* ou du *cancer des inégalités* à de nombreuses reprises... En Lorraine, il déclare venir *en plein cœur de régions blessées*. Face à ces maladies, il y a de *mauvais soignants*. En effet, pour dénoncer la politique de la droite, Mitterrand utilise continuellement des images cliniques. A titre d'exemples, nous en citerons deux qui éclairent bien l'identification entre gouvernants et médecins. En 1976, il écrit : « Quand le franc s'enfièvre, c'est la France qui est malade. Les médecins sérieux, qui savaient qu'elle l'était, s'étonnaient de sa bonne mine et se demandaient par quel artifice le gouvernement réussissait à masquer le diagnostic ». En 1980, la même métaphore lui sert pour dénoncer le pouvoir et le patronat qui « Considèrent le chômage comme le médecin la fièvre, une saine réaction de l'organisme. Mais à la différence du médecin qui sait qu'il faut aider le corps dans sa résistance au mal et faire tomber la fièvre (ils) entretiennent le chômage ». Au contraire lui,

16. L'accident dont parle Mitterrand c'est l'échec de Defferre aux présidentielles de 1969 (il n'avait obtenu que 5% des voix).

Mitterrand, propose non seulement un *diagnostic sûr* mais il saura aussi *traiter efficacement* le mal, il luttera contre les *cancers*, il *traite sans fard* les contradictions dans le parti socialiste, rêve de rénover la *déontologie du service public...*

Notons tout de suite que Mitterrand n'est pas le seul à utiliser des métaphores médicales. On en trouve chez tous les hommes politiques contemporains et même chez Giscard pourtant sobre en figures métaphoriques. La prégnance de cette dernière catégorie d'images ne vient pas seulement de ce que la médecine est devenue une des grandes idéologies modernes, ni de ce que l'homme politique cherche à récupérer à son profit le prestige social du médecin pour rehausser le sien par une sorte de transfusion symbolique. En effet, derrière ces emplois organicistes, il y a l'idée que la société est un être vivant, donc un tout, dont la santé et l'unité se trouvent mis à mal par les divisions politiques, les conflits, les « fléaux sociaux » comme la violence, le chômage, la misère... D'où aussi l'idée qu'il faut *refaire l'unité de la France, rassembler les Français*, idée qui fut le thème principal des discours électoraux des quatre grands candidats aux élections de mai 1981. Mais chez Mitterrand cela colle parfaitement avec sa vision de la France : celle d'une femme, d'une mère...

A l'issue de cette étude, on voit que l'éclectisme de Mitterrand n'est qu'apparent, son système métaphorique s'organise en réalité suivant une thématique assez simple dont il représente, une fois de plus, le centre et l'objet principal. Les pièces du puzzle sont maintenant emboîtées les unes dans les autres et son portrait ne comporte plus de véritables énigmes. Nous avons là effectivement un personnage de roman comme le pressentait Mauriac, mais il s'agit d'un roman d'un autre siècle à tel point que le héros doit s'avancer masqué pour ne pas perdre sa crédibilité. Pourtant cette attitude n'a rien d'illogique. Dans le système à trois temps de Mitterrand, l'anachronisme équivaut à une anticipation. C'est pourquoi, à chaque fois qu'il parle de sa philosophie politique ou de sa vision de la société future, il évoque ses racines rurales. D'une certaine manière, il a choisi d'entrer à reculons dans l'histoire et de nous laisser entrevoir un avenir à l'image de la société engloutie que la nostalgie de beaucoup de Français a parée de toutes les vertus...

Il reste toutefois à s'interroger sur l'insistance. Aucun homme politique important ne possède son goût immodéré pour les images. Sans doute ne se sont-ils pas construit de personnages aussi compliqués et, de surcroît, aucun ne s'efforce de parler un peu à la manière de l'évangile. Mais Mitterrand pourrait le faire plus discrètement. Deux ou trois figures bien placées suffiraient à obtenir la suggestion souhaitée. Alors pourquoi cette accumulation, cette apparente redondance? La réponse des rhétoriciens classiques est assez irrévérencieuse :

« Boileau et Dumarçais ont dit et l'on a mille fois répété après eux, au sujet des tropes, qu'il ne s'en fait plus aux halles en un jour de marché qu'il n'y en a dans toute l'Enéide, ou qu'il s'en fait à l'Académie dans plusieurs séances consécutives. On a aussi remarqué que les langues les plus pauvres sont les plus figurées » [17].

Bref de trop beaux habits servent parfois à cacher des personnages de peu d'épaisseur ou des gens qui ont beaucoup à dissimuler... Cependant il n'est pas nécessaire d'imputer à Mitterrand la palme de la pauvreté de pensée... En effet le caractère très imagé de ses propos vient plus probablement de ce qu'il est parfaitement conscient du prosaïsme de la vie politique et de son propre projet. Il l'avoue parfois. Par exemple, nous avons déjà parlé de son entretien avec M. Seveno où il évoquait les débuts de la chrétienté à propos de la gauche unie. Or juste après le passage cité, il ajoute cet aveu : « Et c'est ainsi que...dans ces temps qui étaient aussi très malheureux, au moment de l'Empire romain, on *rêvait* d'une société idéale... Naturellement ni à l'époque du début du christianisme, ni aujourd'hui, personne n'a pensé véritablement, au niveau des responsables politiques, à étendre ce système qui relevait plutôt du sens moral du renoncement, de l'esprit de sacrifice qui avait une valeur exemplaire sur le plan philosophique, mais qui n'en avait pas sur le plan de l'organisation économique ». Autrement dit, si Mitterrand nous a rebattu les oreilles avec *l'argent roi* c'était pour nous faire rêver. « On ne tombe pas amoureux d'un taux de croissance » a dit quelqu'un et Mitterrand sait s'en souvenir quand il parle en public. On a là l'explication essentielle de cette temporalité si curieuse que nous avons relevée à plusieurs reprises...

Bien sûr, une dernière question demeure. Tant que Mitterrand se trouvait écarté du pouvoir, un tel système était parfaitement adapté. Mais qu'en est-il depuis le dix mai?

---

17. Fontanier, Pierre, *Les figures du discours*, Paris, Flammarion, 1977, p. 157.

Mitterrand président

.

« Et si la grande espérance socialiste al-
lait se gâcher dans l'incurie, les lâchetés
et les petits jeux de cour ? Qu'est-ce
qu'il en resterait ? »

(F. Mitterrand, 15 mars 1976).

Nous avons signalé à plusieurs reprises le mimétisme de Mitter-rand dans l'opposition envers la fonction présidentielle. S'y étant ainsi longuement préparé, il semble n'avoir ressenti aucun pro-blème d'adaptation. Modestement il déclare aux journalistes s'*ac-commoder* des institutions de la Ve République, mais il ajoute aussitôt qu'il « Entend assumer la plénitude des pouvoirs que le peuple souverain (lui) a confiés »...[1]

Dans son discours présidentiel, on assiste à l'épanouissement de certains traits qui étaient déjà potentiellement présents avant le dix mai. Par exemple, on se souvient que Mitterrand a tendance à organiser le monde à partir de ses coordonnées personnelles. On ne sera donc pas étonné de le voir déclarer, au début de sa pre-mière conférence de presse que, grâce à son élection, « la Républi-que a retrouvé son authenticité ». Plus profondément encore, la présidence lui offre enfin un cadre à sa mesure. Voilà pourquoi il multiplie les petites incises : *dans ma fonction, après mon élection, depuis ma prise de fonction, lorsque j'ai été élu...* Voilà pourquoi également, très souvent, il parle de lui à la troisième personne : *le candidat socialiste que j'étais, le chef de l'Etat, le président, la fonction présidentielle...* Plus subtilement, nous retrouvons les jeux de miroirs qui le placent à l'extérieur de son propos comme s'il se regardait. Le sujet de l'action devient alors *mon programme, mes engagements, mon objectif, ma conviction, mon sentiment, mon gouvernement,* etc. On se souvient avoir déjà rencontré cette caractéristique consistant à se mettre en valeur de manière inci-dente tout en parlant des choses de façon détachée. Son entretien télévisé de décembre 1981 en donne une bonne illustration. Mi-chèle Cotta lui demande, en ouverture, des nouvelles de sa santé.

1. L'analyse porte sur les discours de Mitterrand du 10 mai à décembre 1981, plus particulièrement sur sa conférence de presse du 26 septembre et son entretien télévisé du 11 décembre. Sauf renvoi en bas de page, les citations sont extraites de ces deux textes publiés dans *Le Monde*.

Il suffisait de répondre : « Une banale sciatique maintenant gué-
rie ». Au contraire, il préfère s'étendre cinq minutes sur le sujet.
Tout d'abord il décrit son excellente santé : durant l'âge adulte, il
n'a jamais consulté. Il en vient alors à sa maladie : depuis août il
souffre. Par égard pour nous, il s'est plié à des analyses « effectuées avec toutes les règles de l'art médical ». Puis il souligne son
stoïcisme : malgré la douleur, il a maintenu son rythme de travail.
Enfin il lâche : je vais mieux. Mais il se gardera de dévoiler la
nature de son mal, renvoyant à un bulletin de santé ultérieur.
Pour souligner cette manière de suspense, il conclut même par :« Il
ne faut jurer de rien »... Dans la vie courante, on aime guère ces
personnes qui importunent leur entourage avec leurs tracas de
santé. Mais bien sûr, il ne s'agit pas de cela. L'excuse est solide :
« Il est normal, nous déclare-t-il, que la presse s'intéresse à la
santé du président de la République en raison du rôle déterminant
qu'il remplit dans les institutions ». Cette attitude n'est pas
contradictoire avec une sorte de pudeur sur sa vie privée que
n'avait pas son prédécesseur. L'étude de son vocabulaire et de son
style nous l'avait déjà appris : le propos doit le mettre en valeur
mais point trop en avant. Il feindra donc de céder, avec réticence,
aux nécessités de sa charge comme pour s'excuser à ses propres
yeux : « Je ne veux pas que ma vie personnelle devienne un spectacle mais il faut bien admettre qu'elle s'imbrique désormais dans
ma vie publique ». En fait, il veut maîtriser son image et sait bien
qu'il en perdra le contrôle s'il reste en permanence sous les feux
de la rampe. Mais son discours, pour peu qu'on le lise de près,
dévoile son véritable état d'esprit et la façon dont il envisage sa
présidence.

Depuis le 10 mai 1981, le discours de Mitterrand semble égal à
lui-même. On retrouve la même diction lente, bizarrement accen-
tuée, la construction de phrase reposant sur de multiples inversions imposées par le souci de mettre en valeur le mot clef, soit
qu'il le place en tête du propos soit, au contraire, qu'il le repousse
jusqu'à la chute après une cascade d'incidentes. Comme toujours,
les incises qui criblent le discours servent à imposer sa présence,
son regard sur le monde, son état d'esprit, sa philosophie ; il s'y
loge avec bonheur mettant en scène, sans paraître y prendre
garde, sa sagesse, son calme et sa résolution. Comme auparavant,
des figures rhétoriques permettent d'écarter les problèmes qui dé-
rangent grâce à une de ces formules qu'il affectionne. Ainsi en

décembre 1981, après la proclamation de l'état de siège en Pologne, il condamne *la perte des libertés*, « Quel que soit le résultat d'une pression extérieure ou d'une oppression intérieure »[2]. Manière élégante de dénoncer la dictature en refusant de s'interroger sur son origine, interrogation qui remettrait en cause les relations avec l'Union soviétique... Ou, à propos de sa politique au Moyen-Orient : « Nous risquons de n'être compris ni par les uns ni par les autres. Nous courons aussi la chance d'être compris par les uns et par les autres », etc.

Le registre métaphorique se retrouve également. Il se fait : rural « La France va de nouveau cultiver le champ des libertés »[3], « Il fallait planter tout de suite », déclare-t-il à propos des réformes de structures...; militaire pour dénoncer les campagnes de l'opposition, mobiliser la majorité ; médical pour se pencher sur les maux de la France ; juriste pour faire de son programme électoral un contrat signé avec la nation, etc. De même, Mitterrand ne manque aucune occasion d'exposer sa morale, de se poser en juste ou d'évoquer son équation personnelle que résume bien l'emblème présidentiel. Voici comment il l'a fait décrire dans un communiqué de l'Elysée :

« Des branches de chêne et d'olivier sur un tronc commun constituent l'emblème personnel choisi par M. François Mitterrand pour la durée de son septennat. Cette marque, brodée dans le blanc du drapeau tricolore, symbolise, selon l'Elysée, la force avec le chêne et la paix avec l'olivier. Ce chêne-olivier représente aussi aux yeux de M. Mitterrand, la France du Nord et celle du Sud. Bleu brodé d'or, le dessin stylisé de l'arbre comporte également le gland, fruit du chêne, et l'olive, fruit de l'olivier »[4].

On lira ici sans peine la reprise des thèmes ruraux si chers à notre président mais aussi son passéisme : l'olive et le gland peuvent difficilement symboliser le travail des Français aujourd'hui. On y verra également le goût de Mitterrand pour la complication : à partir d'une idée simple (Je suis un arbre, je suis la France), il ajoute une série de détails qui obscurcissent l'intention initiale. Il est surtout remarquable de constater combien il reste égal à lui-même, conservant à la source de son image personnelle la thématique de l'enracinement et des vieilles valeurs françaises. Par exem-

---

2. Déclaration du Président au Conseil des Ministres, 16 décembre 1981.
3. Discours de Montélimar, 11 juin 1981.
4. *Le Monde*, 10 avril 1982.

ple, en conclusion de son entretien télévisé, il énonce son *ambition fondamentale, fonder une civilisation,* et l'explique ainsi :

« Après l'éclatement de la société rurale et pastorale dont j'ai tiré mes sources, où sont mes racines, où est ma forme de culture, où sont mes attachements, ces énormes villes, ces rassemblements de millions de femmes et d'hommes, n'ont pas trouvé de civilisation... Le socialisme, je dirai que ce sera la fondation de la civilisation pour la ville étant bien entendu que je m'inspire, en disant cela, des valeurs que j'ai reçues, et ces valeurs sont héritées, à travers les siècles de notre France, de cette réalité de la société pastorale où j'ai puisé mes sources et auxquelles je reste fidèle ».

Le *socialisme* semble être au cœur de ce propos (c'était là-dessus qu'on l'interrogeait) d'autant que Mitterrand met le mot en valeur par une inversion et le place en début de phrase. La chose n'en reste pas moins irréelle puisque n'importe quel concept en *isme* pourrait être employé à sa place. Le lecteur incrédule n'aura qu'à reprendre ces deux phrases en se livrant à des substitutions ; suivant l'image qu'il se fait de la France rurale, où Mitterrand a passé sa jeunesse, il lui sera loisible d'estimer que socialisme signifie en réalité radicalisme, personnalisme ou, au contraire, conservatisme... Mais finalement, la philosophie ou le projet de société importent assez peu puisque, on l'aura remarqué, tout le propos met aussi en scène la sagesse du président dans une cascade d'incidentes...

Cependant, derrière cette apparente continuité, le discours de Mitterrand subit, depuis le dix mai 1981, plusieurs changements notables. Le plus évident concerne son vocabulaire qui enregistre des disparitions assez logiques. En effet, Mitterrand semble avoir oublié la rupture avec le capitalisme, l'autogestion, l'exploitation de l'homme par l'homme et autres thèmes qui formaient le noyau dur de sa motion déposée au congrès de Metz. Cela ne saurait surprendre puisque nous savons qu'il s'agissait de pièces rapportées tranchant sur la tonalité générale de son propos. Elles n'ont jamais eu que des rôles de circonstances : mobiliser les nouvelles forces militantes ou barrer la route à Rocard en invoquant la ligne du parti... La victoire acquise, elles n'ont donc plus d'utilité jusqu'à nouvel ordre. Cependant, il ne faut pas démoraliser les militants. Alors il leur dit, dans son message au congrès de Valence (22-25 octobre 1981) : « Je me sens proche de vous qui avez été les premiers artisans de *notre* victoire et qui restez *mes camarades* du *combat* politique... Je reste un des vôtres : candidat *socialiste* à l'élection présidentielle, je reste *socialiste* à la présidence de la République... Je reste avec vous, avec *nos* idées et *nos* espoirs »[5]. La modalisation, la réversion, l'inclusion servent à suggérer, en évitant soigneusement de le dire, que le nouveau pouvoir suivra la ligne du PS. Ici un problème se pose : nous avons vu plus haut que cette ligne, ce programme, Mitterrand les détachait soigneusement du temps physique, de telle sorte que les militants pouvaient toujours les rêver pour un avenir proche. Maintenant que la victoire est là, le calendrier ne peut plus être esquivé et il faut se garder de tout débordement : « Je comprends vos impatiences, leur dit-il dans ce même message, devant certaines lenteurs ou certaines résistances. Tout ne peut pas se faire en quelques semaines ni même en quelques mois. Puisque nous avons la durée, il nous faut savoir la gérer ». La méthode utilisée est toujours celle de l'élastique : on le tend au maximum pendant la lutte pour le pouvoir et, celui-ci conquis, on le comprime autant que possible. En apparence l'objet reste le même : Mitterrand peut plaider qu'il n'a pas changé, qu'il reste socialiste, fidèle aux idées du parti et à ses promesses de candidat.

Un autre changement notable atteint le code même du discours de Mitterrand. Nous avons vu que, avant mai 1981, il préférait généralement le nom à la fonction, disant *Giscard* ou *Barre* plutôt que *le président* ou *le premier ministre*. Or, dans ses discours présidentiels, se produit une sorte de renversement : quand il parle du nouveau pouvoir, la fonction est préférée au nom et il n'hésite pas à l'énoncer en entier (Le ministre d'Etat, ministre de...). On comprendra aisément l'intérêt de ce renversement : lorsque les adversaires gouvernaient, en les désignant par leur nom, on leur déniait implicitement l'autorité de l'Etat qu'on mobilise maintenant en faveur du nouveau pouvoir. Ce ne sont plus des hommes qui agissent mais *le gouvernement, le ministre de..., l'Etat*. Mitterrand drape ainsi son équipe de majesté, légitime ses actes et tente de les placer hors de portée de la contestation...

On relève également, dans son discours, d'autres changements plus subtils et tout aussi éclairants. En particulier, les interventions présidentielles contiennent relativement moins de figures rhétoriques, comme si le but atteint conférait à Mitterrand une sorte de sérénité, d'apaisement. L'explication est séduisante, elle cadre bien avec l'état de grâce, mais il faut la nuancer. En effet,

5. *Le poing et la rose*, 96, novembre 1981, p. 2.

nous avons vu qu'autrefois les procédés rhétoriques lui servaient surtout à attaquer ses nombreux adversaires : la droite, et particulièrement Giscard, mais aussi le PC, Rocard... Son triomphe de 1981 le prive de ses cibles préférées, lui ôte la plupart des occasions où il devait jouer sur les mots. Ses propos y gagnent un aspect plus détendu, moins polémique. Ceci expliquerait que, parallèlement, on voit se maintenir dans la construction de phrase le maniérisme qui lui permet de se mettre en scène personnellement.

Nous avons dit que ce dernier trait est une marque d'autosatisfaction. On en trouvera confirmation dans l'allongement de la phrase, indice dont nous avons vu l'importance à propos du débat Giscard-Mitterrand. Le phénomène a déjà été observé durant les onze ans de pouvoir du général de Gaulle : en dehors des périodes de tension (guerre d'Algérie, 1965, 1967, 1968), son discours s'alourdit de manière continue, le style devenant plus ample et moins incisif comme si de Gaulle s'engourdissait, s'assoupissait dans sa propre satisfaction. La même maladie semble frapper Mitterrand de manière particulièrement brusque. Entre le débat du 5 mai et la mi-décembre 1981, la longueur moyenne de ses phrases augmente de moitié et certaines s'étirent d'une manière étonnante. Un fait aussi massif ne trompe pas : satisfaction est sans doute un terme faible pour qualifier l'état d'esprit du président dans les premiers mois de son septennat. Mais ce phénomène d'alourdissement n'est pas sans conséquence, car la communication orale connaît un certain nombre de contraintes. En particulier, il faut que l'orateur s'adapte à la capacité de mémorisation de l'auditeur moyen, capacité qui, d'après les analystes, ne dépasse pas quinze mots courants et baisse dès que survient un terme difficile. Donc, au sein d'une même période oratoire, la distance entre deux unités corrélatives, par exemple sujet et verbe, ne doit pas dépasser quinze mots. Sinon il y aura de bonnes chances pour que l'auditeur ait oublié le sujet lorsque survient le verbe. Alors le destinataire ne comprend pas la phrase qu'il entend ou n'en retient que des bribes, comme ces petites incidentes dont nous parlions plus haut. C'est pourquoi il y a fort à parier qu'entre le président et la majorité des Français la communication s'est souvent réduite à un bruit ou plutôt à une présence, à l'imposition d'une certaine image de l'orateur et de son état d'esprit.

Au total il est donc évident que l'homme demeure égal à lui-même, avec ses tics ou ses bonheurs d'expression et que son nouveau statut, en changeant son discours, souligne des traits particuliers de son caractère. Comme on l'aura déjà deviné, la principale caractéristique nouvelle de ses interventions élyséennes réside dans l'expansion de la première personne que le débat du cinq mai laissait déjà pressentir. Dans sa nouvelle fonction, notre président paraît découvrir le « bonheur de dire je »[6], après avoir été long-temps obligé de s'avancer masqué derrière le *nous* de la gauche et du PS qu'il se devait de paraître assumer malgré les réticences dont on a déjà parlé. Le soudain égotisme discursif de Mitterrand, s'il révèle une constante de son caractère, signifie beaucoup plus qu'une simple prolongation de l'état de grâce. Il éclaire surtout l'impact du fait présidentiel, la manière dont le nouveau président se moule dans les institutions de la Ve République et dont il en récupère à son profit l'idéologie sous-jacente qui fait du chef de l'Etat la légitimité, la transcendance, l'incarnation du pays, la source du sens et du pouvoir.

L'affirmation d'une légitimité supérieure représente le premier trait rattachant Mitterrand à cette idéologie mise en forme par de Gaulle. Dans son discours d'investiture, il n'hésite pas à affirmer : « La majorité politique des Français, démocratiquement exprimée, vient de s'identifier à sa majorité sociale »[7]. On y lira une reprise du vieux thème concernant le divorce entre pays légal et pays réel. Voilà qui explique l'usage abondant fait par notre président du verbe *réconcilier*. La *communauté nationale* se réforme autour de lui après avoir chassé l'ennemi. Mais c'est aussi un moyen com-mode pour suggérer que l'élection n'a fait que ratifier une légiti-mité plus profonde et antérieure au dix mai. Cette légitimité lui vient de son *effort poursuivi depuis 1965* pour *rassembler les forces populaires*. Dans son esprit, cela fait donc dix-huit ans qu'il *in-carne* la majorité sociale du pays. D'ailleurs, à l'instar de de Gaulle, il ne reconnaît que l'histoire comme juge et ne craint pas de déclarer, sept mois après son élection, que son œuvre présen-tera un *bilan positif devant l'histoire...* Cette recherche d'un prin-cipe, supérieur au suffrage universel, pour justifier l'exercice du pouvoir pose tout de même un problème de la part de Mitterrand qui n'a jamais manqué d'afficher ses convictions républicaines. D'autant plus que, son élection ayant été acquise très nettement, Giscard ne peut songer à lui répondre : Moi aussi, je représente la moitié des Français, comme on entendit Mitterrand le faire sou-

6. Brune F., « L'aisance d'un je », *Esprit*, décembre 1981.
7. Déclaration d'investiture, 21 mai 1981, *Politique 2*, p. 300.

vent après 1974. En réalité, cette affaire de légitimité semble être un trait caractéristique de l'idéologie Vᵉ République, selon lequel les électeurs sont conviés aux urnes pour ratifier le choix du destin. De Gaulle ne manquait jamais de suggérer qu'il tenait sa légitimité de l'histoire, Pompidou faisait de même en invoquant le général, quant à Giscard, un peu à court de ces deux points de vue, il y substituait le savoir, la compétence : étant le meilleur, sa place naturelle se trouvait à la tête de l'Etat. Ce souci d'une légitimité supérieure prouve sans doute que l'idée démocratique reste superficielle en France, mais elle s'explique surtout par l'étendue des pouvoirs présidentiels et par la durée du mandat qui jurent avec les traditions de la démocratie représentative. Leurs titulaires sentent bien que l'élection, même au suffrage universel, ne saurait les justifier à elle seule. L'affirmation d'un principe transcendantal présente aussi pour eux l'avantage de lutter contre l'érosion de leur autorité que produisent d'incessants scrutins ou la multiplication des sondages... Nos présidents sont donc condamnés à rechercher, au-delà du suffrage universel et des faveurs passagères de l'opinion, de plus hautes raisons pour continuer à gouverner sans partage. Tenu longtemps en lisière du pouvoir, Mitterrand a pu se forger à loisir un personnage à hauteur d'histoire et une mission dont le dix mai 1981 n'aura été que la confirmation. Son comportement envers le parti socialiste, lorsqu'il en était premier secrétaire, s'inspirait exactement des mêmes principes.

La transcendance de la fonction présidentielle lui permet également de se placer au-dessus de la mêlée. Depuis des années, il affectionne cette attitude. A l'Elysée, il peut l'adopter sans qu'on songe à la lui reprocher puisqu'elle semble indissolublement attachée au système de la Vᵉ République. Son discours en porte témoignage. Lors de son interview télévisée, le journaliste l'interroge sur le climat d'intolérance qui a marqué le congrès de Valence. Mitterrand commence par dédramatiser : la critique a été exagérée et il y a eu, selon lui, contrefaçon dans le compte-rendu. Puis il prend la défense des militants. « Les socialistes sont de braves gens. Il leur arrive d'être un peu durs dans leurs paroles mais ce sont des gens généreux ». Enfin il les rappelle à l'ordre : « Les socialistes ont un peu manqué de sang-froid... Ils ont eu tort de s'exaspérer ». Il utilise également ce procédé du jugement faussement équilibré, du renvoi dos à dos, à propos d'une lettre de Fillioud, ministre de la communication, désapprouvant la projection à la télé d'une émission sur la prostitution des enfants de Manille. C'est encore un jugement de ce genre qui tranche le débat sur la pause dans les réformes préconisée par Delors début décembre 1981 : « S'arrêter maintenant paraîtrait stupide... M. Delors a énormément de qualités... j'ai toute confiance en lui... Mais je n'aime pas ce mot que M. Delors a employé, personnellement je ne l'emploierai pas ». (Remarquons au passage que Delors a droit à du *Monsieur* : Mitterrand n'est franchement pas d'accord). Le procédé du jugement balancé lui sert aussi à déplorer la course aux armements entre les Etats-Unis et l'URSS, l'attitude des Israéliens et des Palestiniens, la querelle sur l'avenir de la médecine libérale, le débat sur l'école privée, etc. A chaque fois, de petits indices, comme *Monsieur Delors*, montrent de quel côté penche la balance (vers les Etats-Unis, Israël, l'hôpital ou l'école publique). Mais l'intérêt vient de ce ton d'admonestation pateline qu'adopte Mitterrand à tout bout de champ pour s'adresser aux patrons et les inviter à investir, aux Américains à propos de l'Amérique centrale, aux Russes concernant les SS 20, etc. Là encore, on retrouve l'attitude si caractéristique qui était déjà la sienne à la tête du parti socialiste. Pour se poser ainsi en sage ou en puissance tutélaire, il faut, d'une manière ou d'une autre, se concevoir au-dessus des autres...

Mitterrand tire de la fonction présidentielle un second avantage plus décisif encore pour lui qui aime tant les mots. Le voilà enfin en position de pouvoir légitimement fabriquer des expressions plus ou moins neuves avec la quasi-certitude de les voir disséquées, analysées, commentées, combattues et, surtout, reprises à l'infini, faisant florès. Alors, il se lance dans un véritable festival : *l'état de grâce, la force tranquille, la majorité sociologique, le contrat présidentiel* c'était lui, *la croissance sociale, le socialisme à la française, le rythme du changement*, encore lui, de même que *la cohérence de l'action gouvernementale, parler d'une seule voix, l'espace social européen* — sans prendre garde à la fâcheuse connotation conférée à cette expression par le précédent de l'espace judiciaire européen — etc. Voilà que toutes ces formules entrent dans le vocabulaire quotidien de notre vie politique. Alors, il fait de la sémantique : il *définit, donne une définition toute simple, indique en deux mots, emploie ou n'emploie pas tel terme,* il *lance l'idée, cite, expose sa conviction, refuse de laisser dire...* Enfin, il peut écrire la partition de notre vie politique sur le mode lyrique et imagé qui lui est cher. Même ceux qui ne sont pas

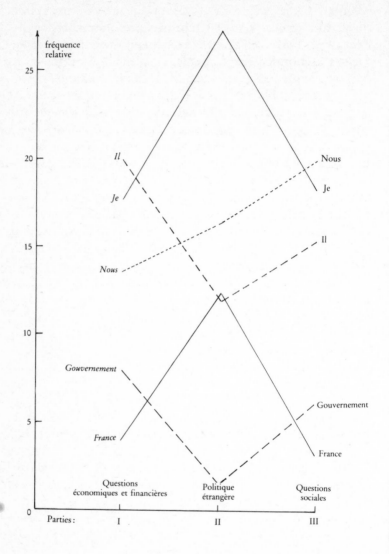

Tableau VI:
Les acteurs de la conférence de presse du 26 septembre 1981

Il: formes impersonnelles et démonstratives
Je: formes désignant explicitement Mitterrand
Nous: formes de la première personne du pluriel et *on*
Gouvernement: formes désignant un ou plusieurs ministres ou le gouvernement
France: formes désignant explicitement le *pays*, la *nation*, etc...

Ce tableau se lit comme le tableau I, page 18.

d'accord seront bien obligés de l'entendre. Mieux encore : leur refus devra s'exprimer à partir de son discours, dans les termes et sur le terrain choisis par lui. Ce pouvoir d'orchestrer se double d'une capacité de censure envers les expressions qui lui déplaisent (comme le *mitterrandisme* ou la *pause*). Avant tout, il s'agit du raisonnement économique : censurées *les querelles d'experts, les comptes d'apothicaires, les pourcentages qui ne veulent pas dire grand-chose, l'internationalisation de l'économie, la division internationale du travail,* etc. Bref le voilà dans la position du maître selon Lacan : il est celui qui donne sens et ordonne l'action. Il *choisit les ministres.* Là où il les a mis, *ils doivent épouser strictement la politique qu'il a décidée, définie.* Car s'il leur reconnaît un *rôle éminent, bien entendu, c'est à lui qu'il incombe de décider.* Suit alors une série de *on doit faire* ceci ou cela, *il faut, il faudra...* Bref, Mitterrand est devenu l'énonciateur suprême : il n'est pas de pouvoir ou de fonction qui ne procède de lui, dirait le général.

Le discours de Mitterrand pendant les six premiers mois de son mandat dévoile donc le but essentiel qu'il poursuivait en briguant la présidence. Il se voit enfin politiquement mandaté pour *incarner* la communauté nationale, la *réconcilier* avec elle-même, y mettre de l'ordre, lui assigner des fins. Reste qu'il ne peut pas la payer seulement avec des mots : il lui faut plus prosaïquement s'attaquer aux problèmes économiques, sociaux et à la politique internationale. Suivant le domaine qu'il aborde, le discours de Mitterrand varie grandement comme l'atteste le tableau VI. La première remarque qui se dégage du graphique concerne l'attitude du *je*, c'est-à-dire de Mitterrand. Il s'affirme sur la scène internationale mais semble relativement moins à l'aise en économie ou sur les questions de société.

Une question s'impose donc : pourquoi Mitterrand utilise-t-il pratiquement 40% de *je* en plus lorsqu'il parle de politique internationale ? La montée parallèle de *France* suggère une réponse. En effet l'analyse de sa conférence de presse montre que, dans le domaine des relations extérieures, *je* s'identifie totalement à la *France*. On se souvient qu'avant son élection, c'était déjà un des thèmes favori du premier secrétaire du parti socialiste, mais il le formulait d'une manière indirecte en particulier grâce à la métaphore des racines. Depuis le dix mai, il n'a plus besoin de ce détour, la dimension internationale du pays c'est lui et sans restrictions. Dans l'introduction à sa conférence de presse, il pose d'emblée cette identité en reprenant une formule de G. Pompidou : dès les premières semaines de son septennat, affirme-t-il, son souci a été « De faire entendre *la voix de la France* sur tous les continents et dans les instances internationales ».

Le voilà donc incarnant la France et lui prêtant sa voix. La chose présente un premier avantage : *France* devient dans son discours un substitut au *je*. Cette substitution est rendue possible parce que Mitterrand — fidèle en cela à l'idéologie dominante — fait de la France une personne. Non seulement dans les propos présidentiels, elle a une *voix* qui lui permet de *dire, proposer, déclarer, discuter, proclamer, prendre position, en appeler à la conscience mondiale, faire entendre au monde son message de paix*... mais de plus, comme toute personne, elle possède un *esprit*, une *conscience* avec lesquels elle *juge, approuve, refuse, considère que, souhaite, veut* ; c'est elle qui *élabore, définit, expose, explique sa politique*. La France porte des jugements *lucides* parce qu'*elle est consciente de ses devoirs et des leçons de son histoire* : c'est pourquoi elle *n'entend pas, ne confond pas, ne doute pas, ne défie ni ne provoque personne*... Comme toute jeune fille de bonne famille, la France est *vertueuse* et *ses vertus sont contagieuses* : c'est pourquoi « Beaucoup de peuples sur cette terre ont les regards qui se portent sur elle. Pour nombre d'entre eux, elle apparaît comme l'espérance ». Elle est *bienveillante, généreuse,* elle a du *prestige, un très grand rayonnement,* de *l'autorité,* de *l'influence dans le monde,* de *solides amitiés.* La France offre encore son *exemple historique,* sa *force de proposition,* sa *capacité nationale,* qui *sert la paix* et *l'amitié entre les peuples* : « Nul ne doute d'elle dès lors que l'on parle d'ambition, d'impérialisme, de gage à prendre... Nul ne peut espérer ruiner le droit des peuples à disposer d'eux-mêmes sans que la France en appelle à la conscience mondiale ». Car elle est aussi chevaleresque et humanitaire : elle a *des obligations particulières au Liban,* elle *contribue au développement du tiers monde* et pour cela elle *possède des moyens qui ne sont pas minces,* elle apporte *son aide psychologique inlassablement aux Polonais,* etc. Mais les traits anthropomorphiques ne s'arrêtent pas là : la France a aussi la beauté. Elle est un *beau pays* et elle a *Paris qui est une belle et grande capitale.* La France a aussi une *main* qu'elle *tend,* qui *signe, apporte son aide, n'extrade pas.* Elle *ne vit pas repliée sur elle-même,* elle a même le don d'ubiquité puisqu'elle est *présente partout où elle le doit.* Elle *voyage,* « Elle va dans les assemblées internationales bientôt à Cancun au Mexique après être passée par les Etats-Unis d'Amérique »...

Bien sûr, on l'aura compris en lisant ces quelques extraits, la France existe, parle ou se déplace à travers notre président, il est la France et prend soin de le réaffirmer en toute occasion. Par exemple, à propos des résultats de son voyage à Londres, il précise : « Ce n'est pas Mme Thatcher et F. Mitterrand qui se sont rencontrés mais l'Angleterre et la France ». Ou encore, il n'y a pas de *mitterrandisme, la France c'est la France* explique-t-il. De même, à une question sur le fait de savoir si la politique française « colle » à celle des Etats-Unis, il répond : « Je ne colle à personne, ma logique est celle de mon pays, est celle de la France ». A propos du désarmement : « On me dira : et vous la France ? » Nous pourrions multiplier les exemples : suivant l'imagerie religieuse si chère à son discours, il incarne la France au sens fort du terme, elle l'habite toute entière. Le président n'a plus à se masquer puisque la France parle par sa bouche et nous avons droit à des *je* en cascade. Que fait ce *je* ? Avant tout, il *dit* et *veut*, les deux choses allant souvent de pair : *je veux dire, j'entends dire, je parlerai clair*... Le président *s'adresse à, ajoute que, écrit, explique, se prononce, exprime, s'entretient de, avec*... Incontestablement, pour lui, la fonction présidentielle, en ce domaine aussi, consiste à dire au monde *le juste, le droit, la position de la France*. Car dans son esprit, les relations internationales relèvent du même traitement que la politique intérieure : c'est une affaire de mots, de *déclaration*, de *définition*, de *conversation*... D'où également l'étalage, sans fausse modestie, de sa subjectivité : il *pense* ou *croit que*, *approuve* ou *désapprouve* ceci ou cela, *regrette, souhaite*. Allant plus loin, il *ajoute en confidence* et n'hésite pas à nous livrer le fond de son cœur : *il avait souhaité, n'a pas l'intention de changer, n'aime pas que, ne se fait pas beaucoup d'illusions, n'est pas converti* et *s'en réconforte aisément*...

Résumée ainsi la chose peut paraître caricaturale, mais il ne faut pas sourire : une lecture de ce texte et, probablement, de ceux à venir prouvera au lecteur qu'il est bien en face de la trame essentielle. Comment pourrait-il en être autrement dans un système institutionnel où la politique étrangère se concentre entre les mains d'un seul et échappe à tout débat ? Dans ces passages de la conférence de presse, le gouvernement disparaît totalement comme l'indique le tableau VI : les seules mentions le concernant se rapportent aux ministres dont Mitterrand se fait accompagner dans ses déplacements sans d'ailleurs expliquer leur utilité à ses côtés. Tout repose donc sur le président suivant une coutume peu constitutionnelle que Mitterrand n'avait pas manqué de dénoncer avec vigueur quand il était dans l'opposition. Son discours présidentiel prouve que, sur ce point, il a oublié ses critiques et s'est glissé dans le moule gaullien.

En effet, la scène internationale lui plaît beaucoup. Il évoque avec bonheur ses rencontres avec *les grands*. Par exemple : « J'ai eu des entretiens avec plusieurs dirigeants de l'alliance atlantique notamment le président Reagan... J'ai reçu la proposition du prince Fahd... J'étais à un concert à l'Albert Hall en compagnie du premier ministre britannique... J'ai apprécié les indéniables qualités de Mme Thatcher... Je m'adresse au premier ministre de la Grande Bretagne... » Il ajoute qu'il va recevoir la conférence franco-africaine, qu'il recevait récemment le président Goukouni du Tchad et lui disait... Il annonce ses voyages en Arabie Saoudite, en Algérie, en Israël. Il a reçu beaucoup d'autres invitations. Il se rendra dans chacun des pays de la CEE, entend préserver et développer la bonne et saine amitié franco-allemande, réveiller les bonnes relations franco-britanniques, etc. Avec des mots simples, Mitterrand explique la situation à ses auditeurs : *Les Américains disent, les Soviétiques répondent...* Il s'amuse avec le décompte des ogives nucléaires : *On s'y perd*, confesse-t-il. Il nous introduit en toute simplicité dans ses entretiens : « J'ai dit aux dirigeants arabes que j'ai rencontrés et qui me comprenaient : vous êtes des gens d'honneur... » Ou encore : « Comme je le disais à mes neuf partenaires (de la CEE) — absolument sans présomption, sans vanité — je leur disais : moi j'ai sept ans... Et je n'ajoutais pas (je le dis simplement en confidence) : cela ne sera reprŏduit nulle part, lequel d'entre eux pouvait en dire autant ? » On aperçoit ici la raison pour laquelle Mitterrand affectionne tant la politique étrangère, comme de Gaulle, Pompidou et Giscard auparavant. Elle lui donne l'occasion de se mettre en valeur aux côtés des grands de ce monde, au sommet...

Par rapport à la situation intérieure qui lui paraît insaisissable, la politique mondiale présente pour Mitterrand l'énorme avantage d'une mise en scène à son avantage. Comme on l'aura pressenti, au-delà de cet intérêt immédiat, le président trouve enfin dans les relations internationales un espace à sa dimension et selon ses goûts : non seulement il s'y voit libéré de toute entrave parlementaire, partisane ou gouvernementale, mais de plus, quand ça tourne mal, il peut dégager sa responsabilité. Il le fera d'abord grâce au *ça* et à l'impersonnel. Par exemple, à propos du malaise franco-espagnol : « Cela est dû à la *rudesse des temps* et à la *nature des choses*, à un certain nombre de *réalités* politiques que je voudrais bien réduire » donc s'il y a amélioration, le mérite lui en reviendra). Le gouvernement peut aussi lui servir de défense en cas de difficultés. Toujours à propos de l'Espagne, le président ajoute : « La France témoignera et fera plus que témoigner. *Le reste est du ressort des gouvernements* ». Le système est donc tout à fait clair : Mitterrand s'occupe des grandes choses, il témoignera et plus encore, mais il n'a pas à démêler les difficultés, cette tâche revient au gouvernement. Muni de boucliers aussi commodes, débarrassé des contraintes politiques, notre président semble évoluer loin des contingences. Le tableau VI l'atteste bien : on y lira sans étonnement une forte baisse du *il* impersonnel et du *ça*. D'ailleurs, en politique internationale, Mitterrand utilise surtout l'impersonnel dans des formules dérivées de *Je veux dire qu'il faut* : s'il y a des impératifs ou des obligations, notre président se réserve de les définir...

Aurait-il oublié ses sages résolutions de la campagne électorale ? Ne se souvient-il plus que la politique internationale n'intéresse pas vraiment les Français sauf quand leur situation personnelle s'en trouve affectée ? L'état de grâce comporte-t-il aussi une certaine dose d'aveuglement ? En réalité, Mitterrand n'oublie pas les Français. Bien sûr, il les convie à assister à son action planétaire et espère bien en retirer un bénéfice politique. Mais surtout, il les y inclue grâce au *nous*, comme l'indique le tableau VI. Certes, le contenu de ce pronom est ambigu. Parfois le *nous* ressemble au pluriel de majesté : il est difficile de l'interpréter autrement quand le président dit *notre* politique extérieure après avoir expliqué qu'il lui appartient seul d'en décider... Parfois la signification sera moins nette, le *je* et le *nous* alternant souvent dans les mêmes phrases. La plupart du temps, le contexte amène à penser qu'il s'agit toujours de Mitterrand. Mais ce que l'analyste peut découvrir à tête reposée aura échappé à l'auditeur noyé dans le flot du discours. Quand le président lui dit *nous la France*, comme il aime le faire, cet auditeur risque d'interpréter la chose au premier degré et de s'inclure dans le propos sans s'apercevoir qu'en réalité les deux termes se résument à la personne de Mitterrand. C'est pourquoi il éprouve le besoin de transformer son *je* en *nous* : intuitivement il sait que l'auditeur comprendra « Moi et vous qui m'écoutez ». Un emploi élevé du *nous* à la place du *je* témoigne donc de la volonté d'inclure l'auditeur dans le propos, de le mettre dans le coup, de lui faire partager les positions exprimées, d'obtenir de lui qu'il s'identifie à l'orateur. Par la grâce d'un petit pronom, le téléspectateur voyage avec le président aux quatre coins de l'univers, il participe aux cénacles internationaux, se découvre lui aussi de la force et de la grandeur. Assis dans son fauteuil, il aura le sentiment de river leur clou aux grandes puissances. Il s'entendra dire à Israël et aux Arabes : « Nous ne pouvons pas traiter sur ces bases ». A Brejnev et Reagan : « Nous nous refusons à être considérés comme partie prenante dans ce gigantesque défi que se sont lancées les superpuissances ». Il fera la leçon aux Russes : « Cela ne nous fait pas plaisir d'avoir pointées sur nous les fusées SS 20 », « Nous voulons que chacun mesure son degré de responsabilité » (à propos de la Pologne), etc.

Le phénomène d'identification joue certainement aussi avec le mot *France* dont l'auditeur n'a pas non plus le moyen de démêler l'identité réelle. Or, en additionnant le nombre des apparitions du *nous* et de *la France*, dans le discours consacré par Mitterrand aux relations internationales, on obtient un total supérieur à celui des utilisations de la première personne. Autrement dit, en apparence, le premier sujet du discours n'est pas le président mais la collectivité nationale. Cela ne saurait surprendre puisque les Français sont renommés pour cultiver le patriotisme jusqu'au chauvinisme. Il suffira de rappeler les qualités que Mitterrand prête à la France : vertu, message, présence, grandeur, originalité, prestige, rayonnement et aussi, ses amitiés, son esprit chevaleresque, humanitaire, pacifique... L'emploi du *nous* dans ce type de propos leur confère incontestablement une nuance cocardière. C'est la raison pour laquelle le président utilise abondamment le procédé inclusif quand il parle de *notre* force de dissuasion (dont *nul ne peut douter*) ou de *la défense sacrée de notre territoire*... La chose devient réellement éclatante à propos de l'économie mondiale : « Je refuse une division internationale du travail décidée loin de chez *nous* obéissant à des intérêts qui ne sont pas les *nôtres*. *Nous* ne sommes pas un pion sur l'échiquier de plus puissants que *nous* ». Tous les passages de ce genre contiennent un message simple : regardons dans la direction indiquée par le président, nous y trouverons les responsables de nos difficultés : *le dollar, les multinationales, le désordre monétaire international*, voire *la spé-*

culation... Ainsi pour les matières premières dont les cours, nous dit-il, dépendent de « La décision de sept ou huit spéculateurs internationaux ». Ou encore, pour expliquer la baisse du franc : il y a eu *agression* contre la France et l'on *enquêtera* « Pour savoir qui a pu profiter de ces spéculations »...

Ainsi se dessine l'alliance très gaullienne d'un discours sur le droit et la morale internationaux conjugués avec la défense des intérêts supérieurs du pays. Mitterrand peut appeler, dans le même souffle, au *désarmement* et refuser de *négocier une partie de notre armement nucléaire*. De même, il se permettra d'indiquer ce qu'il *convient de faire* au Salvador ou en Pologne tout en *récusant les ambitions des superpuissances* sur l'Afrique francophone. Il dira avec force aux dirigeants arabes son *refus de livrer* Israël, d'*échanger son amitié* (sous-entendu, contre du pétrole), mais fera préciser par le premier secrétaire du parti socialiste, à propos du gaz soviétique, qu'il y a lieu de disjoindre la logique des droits de l'homme de celle des relations commerciales...[8] Doit-on accuser Mitterrand de duplicité comme ne manquent jamais de le faire ses adversaires ? Ses prédécesseurs n'ont pas agi autrement et il serait injuste de s'en aviser maintenant que Mitterrand est au pouvoir. Son ton un peu moralisateur pose évidemment problème mais de Gaulle, lui aussi, n'hésitait pas à faire la leçon aux grandes puissances tout en se posant en défenseur intransigeant de l'intérêt national. Sans doute certains français attendaient-ils de la gauche autre chose que cette poursuite à peine déguisée de la politique de la droite. Mais il y a quelque naïveté dans ce reproche : pendant sa campagne électorale Mitterrand n'a pas vraiment caché ses intentions et nous avons vu quel était son état d'esprit à ce sujet lors de sa confrontation télévisée avec Giscard. D'ailleurs que pouvait-il faire d'autre puisque le poison du chauvinisme est profondément ancré dans la conscience française ? Pour reprendre le registre organiciste si cher à nos hommes politiques, c'est un trait congénital du tempérament national. Quand bien même Mitterrand ne le partagerait pas — ce dont on peut douter — pourquoi viendrait-il prendre ses compatriotes à rebrousse-poil alors qu'il dispose sur ce terrain d'un moyen commode et peu coûteux pour s'en faire aimer ?

En relevant la manière dont il utilise *France* et *nous*, on constate que son discours dérive pratiquement toujours d'une formule de

---

8. Déclaration de L. Jospin reproduite dans *Le Monde*, 27 janvier 1982, p. 36.

base inlassablement répétée depuis sa première candidature à la présidence et présentée comme la clef de voûte de sa politique : *le rassemblement des Français* et *l'élan national*. Il l'explique ainsi, dans sa première conférence de presse : « C'est la conviction de chaque Française et de chaque Français de *participer* à une grande œuvre ». La chose étant posée, il ne sera plus question des Français pendant les trois quarts d'heure consacrés à la politique internationale : fondus dans la *France* et dans le *nous* présidentiels, ils s'expriment d'une seule voix. On comprend le bénéfice qu'en tire le chef de l'Etat. Qu'il agisse à l'instar de ses prédécesseurs ne change rien à l'affaire : il s'agit toujours de canaliser à son profit les pulsions, les mythes et les phobies plutôt que de s'adresser à la raison de l'auditeur pour emporter son adhésion. Nous savons déjà combien le style de Mitterrand offre un exemple parfait de ce procédé courant du discours politique. Il peut s'épanouir tout à fait grâce à la dimension internationale de la présidence façon Vᵉ République. Par contre, en matière économique et sociale, les malheurs du temps ne lui laissent pas une aussi grande liberté de manœuvre.

Lorsque Mitterrand traite de l'économie nationale, il éprouve beaucoup moins le besoin de dire *je* ou de s'approprier les choses grâce au possessif comme l'indique clairement le tableau VI. On le voit alors parcourir, d'un pas précipité, d'immenses champs — le chômage, l'inflation, la relance, le franc — comme s'ils lui étaient un peu étrangers. Il semble s'absenter de son discours et céder la place à d'autres. Prenons un exemple tiré de son entretien télévisé du 11 décembre 1981. Répondant à une question de Michèle Cotta sur l'inflation et le chômage, le président n'utilise que six fois un pronom de la première personne du singulier, soit, par rapport à la longueur de la réponse, pratiquement dix fois moins que sa performance moyenne de la soirée : c'est assez dire que ce terrain n'est pas le sien, d'autant que le *je* se contente ici de *dire*, *proposer*, *énumérer*. Il n'endosse jamais, à titre individuel, une action quelconque. Si le président s'efface ainsi, on peut se demander par quoi il est remplacé. Le tableau VI nous l'indique clairement : l'impersonnel et le démonstratif sont les sujets essentiels du discours économique de Mitterrand. Par rapport aux relations internationales, qui sont le royaume d'une certaine liberté, l'économie relève plutôt dans son esprit de l'ordre des choses (il y a), sinon de la fatalité (ça, ceci, cela, c'est...). En quelque sorte, nous voyons ici sa façon personnelle d'envisager le monde de l'économie. Un observateur notait à propos du discours giscardien : « La dissimulation de la personne de l'orateur devient sa plus grande force puisqu'elle rend son propos aussi incontestable que la « réalité » qu'il semble seulement enregistrer »[9]. En matière économique, le même état d'esprit paraît habiter Mitterrand. L'action n'est plus vraiment une affaire de volonté politique — thème essentiel de sa campagne électorale — elle appartient à l'ordre du constat et de la nécessité ; l'orateur s'efface derrière les faits et indique les leçons qu'objectivement on doit en tirer. Chaque *il y a* déclenche à sa suite une série de *il faut, il convient.* Dans la réponse à M. Cotta dont nous parlions plus haut, Mitterrand en emploie plus de deux à la minute, une manière de record ! L'impératif porte d'abord sur le constat — « Les faits sont les faits » semble-t-il nous dire — il faut *comprendre, reconnaître, admettre, parler de, se souvenir...* La réalité enregistrée, le président passe alors au constat de l'impératif. Dans la réponse mentionnée ci-dessus, on trouve : il faut *faire, s'attaquer à l'inflation, produire plus et mieux, retourner à la croissance, relancer* (la consommation, l'investissement), *ouvrir notre politique sur l'Europe, que les entrepreneurs se sentent en confiance, que le secteur public relance l'économie* ; il faut aussi *une politique industrielle, des industries de pointe, une haute technologie, une agriculture solide et puissante, une politique sociale,* etc. Bref, en écoutant le président, nous apprenons tout « ce qu'il faut faire pour lutter contre le chômage ». Mais justement, on se souvient qu'avant le dix mai Mitterrand disait plutôt : « Je veux lutter contre le chômage ». Devenu président, il semble donc avoir oublié l'état d'esprit du candidat et avoir repris à son compte le discours, à tonalité impersonnelle, pédagogique et normative, qui était la caractéristique de Giscard auparavant[10]. Le *je* s'est effacé au profit du *il* et donne au propos le statut de la vérité, de la norme. C'est le propre du pouvoir, dira-t-on, d'énoncer ainsi la réalité et le devoir-être. Mais en matière économique, un tel discours trahit, pour le moins, un décalage voire une erreur de catégorie : ces choses sont imperméables au discours pédagogique ou injonctif.

---

9. Brune F., « Le discours giscardien ou la force des choses », *Esprit*, juin 1976, p. 1166.
10. Il s'agit d'un glissement au niveau du discours. Ce constat suggère un changement d'état d'esprit chez Mitterrand, mais il faut se garder d'en tirer des conclusions concernant les politiques effectivement poursuivies.

On peut d'ailleurs douter de la nature du discours de Mitterrand. Avant d'être pédagogique, la visée réelle de toute cette partie de son exposé, est d'ordre polémique. On le constate d'abord grâce à la présence de la forme négative, utilisée deux fois plus souvent qu'en politique internationale. On se souvient que cette construction signifie le refus de quelque chose déjà dit, une inscription en faux contre une autre parole. Ainsi quand il affirme, à propos des nationalisations, « Je ne cherche à plaire à personne car ce qui m'importe c'est l'intérêt national », il répond en fait à l'opposition qui l'a accusé de décourager les entrepreneurs. Nous retrouvons la même construction polémique à propos de l'impôt sur la fortune : « Il n'est pas normal que l'on frappe les revenus du travail ou la consommation et jamais la fortune » ou encore « 300 millions de centimes, ce n'est pas donné à tout le monde... 500 millions de centimes ce n'est pas donné à tout le monde... Je vais le répéter : il convient de ne pas frapper l'outil de travail » etc. A chaque fois, nous voyons Mitterrand construire son propos comme s'il répondait à des assertions dont il veut démontrer la mauvaise foi ou la malhonnêteté. En réalité, il se défend comme il peut. L'effacement relatif du *je* signale, pour le moins, un malaise et une certaine difficulté à encaisser les coups : en prononçant une apparente leçon, Mitterrand cherche à se protéger avant même de vouloir convaincre. Car pour convaincre, pousser à l'action, Mitterrand devrait sortir l'auditeur de sa position de spectateur, il devrait assumer ces constats et ces impératifs au lieu de leur donner une forme impersonnelle. Il lui faudrait encore les adresser précisément à quelqu'un pour le sommer de les prendre en charge et de s'y conformer. Or, dans son discours, l'auteur de l'impératif et son destinataire restent tous deux indéterminés... Finalement le principal message, destiné à l'auditeur moyen dans le discours économique de Mitterrand, c'est qu'*il ne faut pas* écouter l'opposition ou les commentaires alarmistes.

Les passages concernant la situation économique contiennent un autre message évident : la responsabilité du président n'est pas engagée. Par exemple aucun des impératifs, cités plus haut à propos du chômage et de l'inflation, n'engagent personnellement Mitterrand à agir. Bien au contraire, il donne tout le temps l'impression de ne pas être concerné par ce que de Gaulle appelait péjorativement « les affaires d'intendance ». Mais alors, si ce n'est pas lui, qui doit les prendre en charge ? Tout d'abord le *nous*, voire le *on* : dans ce même passage, *nous* et *on* sont sept fois plus utilisés que *je* ! Parfois ce *nous* signifie le nouveau pouvoir : « *Nous* ne sommes pas responsables du chômage », « *Nous* faisons une politique originale », « *Nous* avons réalisé la relance », « *Nous* avons procédé à un réajustement monétaire », etc. Donc, au mieux, Mitterrand se fond dans un collectif dont la signification peut aller jusqu'à « nous la gauche », comme pour mobiliser les partis majoritaires et leurs militants. Souvent ce *nous* englobe « tous les Français ». On aura reconnu le procédé inclusif et l'on aura deviné qu'il sert d'abord à pincer la fibre nationaliste : « Va-t-on accepter, *nous*, Français, d'être soumis à la division internationale du travail décidée par le capitalisme multinational qui est tout à fait naturellement étrangère à la France ? Est-ce qu'*on* va accepter d'être battu sur *notre* propre terrain ? Est-ce qu'*on* ne va pas reconquérir *notre* marché intérieur ? » etc. Voilà les Français réinstallés par la grâce du discours présidentiel dans la position de propriétaires indivis du patrimoine national : *notre* industrie, *notre* secteur public, *nos* banques, *nos* entreprises, *notre* monnaie, *notre* agriculture, *nos* exportations, etc. Tout est *nôtre* dans les passages traitant d'économie et, par conséquent, c'est l'affaire de tous. Mitterrand peut alors conclure ses développements en affirmant : « Je crois à la volonté, à la capacité des Français, à leurs talents »...

Car, en décembre 1981, la situation ne s'améliore pas : le chômage augmente, la hausse des prix se poursuit, le déficit commercial se creuse. Mitterrand ne peut qu'en convenir : cela fait partie du constat qu'il énonce sans le prendre en charge. Par conséquent, il ne serait pas responsable de cette situation ? L'absence relative du *je*, cet orateur qui déserte soudain son discours, représentent une sorte d'aveu : cela ne marche pas comme il l'avait souhaité et comme il l'avait prédit lors de sa campagne électorale. Le *sursaut* n'était pas au rendez-vous, aucune *immense vague de travail nouveau* n'a déferlé sur le pays, les *énergies créatrices* ne se sont pas *réveillées*, l'arrivée de la gauche au pouvoir n'a pas déclenché d'*élan national*. Au contraire il voit monter la *crispation* et l'*intolérance*. Bref, les formules pleines d'espoir, que Mitterrand avait mobilisées contre Giscard durant leur face à face, ne se sont guère réalisées. En vérité nous avons montré que, dès ce moment, Mitterrand n'était pas totalement sûr de lui. Déjà, il se désengageait de ses propos, les temporalisait très peu, comme s'il doutait au fond de lui que tout cela puisse vraiment voir le jour[11]. Mais,

---

11. Cf. notre analyse du débat Giscard-Mitterrand, *supra*.

six mois après, le voilà au pied du mur et, comme Giscard avant lui, nous le voyons dégager sa responsabilité. Les techniques employées pour cela sont multiples. Il y a d'abord le ton qui se veut dédramatisant : peu de formes inaccomplies, oubliés les verbes *pouvoir* et *vouloir* si nombreux auparavant, un propos impersonnel qui, visant tout le monde, ne concerne réellement personne. Il y a aussi le fond même du propos : on nous parle de *crédit*, d'*industrie*, de *relance*, de *secteur public*, de *budget*, pratiquement pas du *chômage* — mais de l'*emploi* — jamais de la crise, des licenciements, des faillites, des fermetures d'entreprises, etc. Candidat, il nous entretenait des *plus défavorisés*, les voilà devenus les *moins favorisés* : Mitterrand reprend là une formule giscardienne dont il s'était moqué à l'époque, remarquant fort justement que notre société ne favorise pas du tout les vieux, les smicards ou les marginaux... N'accusons pas trop vite Mitterrand de duplicité : en France, nous l'avons dit, une sorte de fatalité semble condamner les gouvernants à dédramatiser leur discours pour calmer les esprits et faire baisser les tensions qui les menacent. Déjà à la tête du PS, il avait adopté ce type de comportement et, finalement, nous le retrouvons à la tête de l'Etat égal à lui-même. Mais le thème de la force tranquille ne saurait servir éternellement et il faut bien d'une manière ou d'une autre désigner un responsable. Ses propos économiques en indiquent clairement un (l'ancien pouvoir) et nous en suggèrent quelques autres : la fatalité, le gouvernement, les institutions, les habitudes...

Selon Mitterrand, l'explication des difficultés, à la fin 1981, réside donc d'abord dans la *succession*, le *lourd héritage* qu'il a reçu de son prédécesseur. Il y revient à propos de l'inflation, du chômage mais aussi du franc, de la politique industrielle, du commerce extérieur, du déficit budgétaire, etc. L'excuse lui semble si bonne qu'il se la réserve pour l'avenir. Ainsi, lors de l'entretien télévisé de décembre 1981, s'interroge-t-il concernant le chômage : « Quand pourra-t-on affirmer que nous ne sommes pas responsables ? » (sic). Il répond : « Les structures industrielles, les habitudes prises résultent essentiellement de la politique antérieure que nous n'avons pas pu changer en profondeur... Quand nous aurons fait adopter nos réformes de structures et, à partir d'elles, la politique qui va venir, c'est nous qui en serons responsables ». On aura immédiatement remarqué l'usage du *nous*, Mitterrand se fond ici dans un collectif aussi indéfini que possible ; ainsi dilué, le terme « responsable » perd beaucoup de sa signification. D'autre part, la présentation même de l'argument signale que le président se réserve de nous le resservir ad libitum : il lui suffira d'alourdir l'héritage et de nier que *notre* politique ait pu être mise en œuvre pour dégager *notre* responsabilité. Cette restriction mentale est d'ailleurs présente tout au long de son discours. Par exemple, dans le même passage, il commence par redire que les grandes réformes de structures sont *indispensables* pour lutter contre le chômage : « C'est lent à venir tout cela car il y a la pratique parlementaire ». Alors il peut se placer du bon côté, nous suggérer que si ça ne tenait qu'à lui... : « *Je* trouve que tout va trop lentement ». Et il conclut : « Pour l'instant *nous* sommes dans le mouvement de l'action et *nous* pouvons dire avec sérénité que pas un chômeur n'est aujourd'hui imputable à la politique que *nous* menons ». Notons, au passage, que Mitterrand, après avoir souligné son impatience devant la lenteur des choses, passe du *je* au *nous* dès qu'il s'agit de répondre de la médiocrité de la situation.

L'argument de l'héritage révèle aussi son véritable état d'esprit. Par exemple, il affirme : *Notre* politique de relance comportait des *risques de dérapage* (inflationnistes) et il se félicite que « Nous soyons restés à peu près au rythme de 14 % l'an dont nous avions hérité ». Ce genre de formules se rencontre à plusieurs reprises dans la bouche de Mitterrand. Il nous est donc donné d'assister à un renversement de problématique : auparavant il promettait de faire mieux que Giscard, maintenant il se féliciterait presque de ne pas faire plus mal. Là encore, il faut rappeler que, durant la campagne présidentielle, son projet économique était présenté de manière assez théorique, et intemporelle. A la lumière des propos tenus dans les premiers mois de son mandat, on peut comprendre les raisons de cette intemporalité : il n'y croyait pas trop lui-même et n'entretenait guère d'illusions sur les difficultés qui l'attendaient...

En plus de l'héritage, Mitterrand désigne d'autres causes aux malheurs du temps : les habitudes, la division internationale du travail, le capitalisme mondial, la politique monétariste suivie par nos principaux partenaires, les taux d'intérêt, les taux de change, le dollar, sans compter le mur d'argent qui a tendance à se reconstituer, les spéculations contre le franc, bref dit-il, « La relance apparaît comme une gageure ». En tout cas, les explications d'un éventuel échec sont déjà en place comme si, par avance, Mitterrand était habité par une sorte de fatalisme impossible à déguiser tout à fait malgré ses déclarations optimistes.

Mais bien sûr, il n'est pas question d'avouer son impuissance. Mitterrand se doit d'affirmer que le pouvoir fait tout son possible et que, pour le reste, on ne saurait le tenir pour responsable. D'où l'usage de la première personne du pluriel dont l'intérêt réside en ce qu'elle permet de convoquer l'auditeur aux côtés de l'orateur et de diluer les responsabilités au sein d'un collectif désigné le moins clairement possible. Certes Mitterrand fait bien encore partie de ce *nous*, c'est pourquoi après s'être fondu, effacé, il lui reste à désigner un bouc émissaire au sein même du pouvoir. Normalement, le gouvernement tient ce rôle suivant un procédé, déjà décelé en politique étrangère, et employé de manière constante pour l'économie. En effet, le tableau VI montre que, dans la première partie de la conférence de presse, le gouvernement est évoqué huit fois plus qu'à propos des relations internationales. Quand la question devient épineuse, Mitterrand l'envoie en première ligne. Par exemple, les investissements sont au plus bas : « Il faut que *les pouvoirs publics* agissent... c'est pourquoi le *gouvernement* a pris toute une série de mesures... Le *conseil des ministres* d'hier en a consacré un certain nombre sur proposition de Monsieur le *premier ministre* ». Le chômage ? « Le *premier ministre*, à ma demande, a également lancé tout un programme de grands travaux. Il faut que l'*on* se sente mobilisé... Je ne vais pas refaire l'excellent discours qui a été prononcé par le *premier ministre* à l'Assemblée nationale... Des contrats de solidarité ont été proposés par le *gouvernement*... Tout cela s'ajoute à un certain nombre de décisions *gouvernementales*... », etc. Ces extraits suffiront à comprendre comment fonctionne le système de Mitterrand : le président donne des indications, adresse des directives au gouvernement ; ce dernier est responsable de l'exécution et il sera désigné comme cible au mécontentement éventuel de l'opinion. Le président dispose aussi d'une sorte de droit de retenue. Si une mesure peut le servir, il l'assume personnellement : « Je n'ai pas négligé l'épargne... Parmi les mesures ponctuelles mais qui ne sont pas négligeables, j'indique qu'incessamment le taux d'intérêt des livrets A de la caisse d'épargne sera porté de 7,50 % à 8,50 % ». Là encore, il a bien fallu qu'un ministre prépare le dossier et, après le feu vert élyséen, promulgue cette décision, mais alors qu'auparavant il avait seul à endosser l'éventuelle impopularité, le voilà maintenant effacé du discours, le président revendiquant pour lui seul le bénéfice de la mesure. En sens contraire, il peut se retirer si la chose paraît mal tourner, et laisser à d'autres le poids des événements. Par exemple le débat sur les nationalisations a-t-il accru la fuite des capitaux et la méfiance des financiers? « L'Assemblée nationale, le parlement, a voté ce qu'il voulait voter. Des initiatives ont été prises, sous la souveraineté parlementaire, que je ne peux critiquer ». A l'entendre, on penserait presque que le parlement est à l'origine des nationalisations ou que le ton du débat, les amendements adoptés sont la source du malaise! Certes, on pourra nous objecter qu'il n'y a rien là de bien nouveau : sous la Ve République, dans la tradition gaullienne, le parlement et le gouvernement sont destinés à prendre les coups et à assumer l'impopularité aux lieu et place du président. Le premier ministre, selon les mots de Pompidou qui le fut six ans, se trouve réduit à « boire le calice jusqu'à la lie ». Toutefois on pourrait rappeler que, pendant 23 ans, Mitterrand s'est érigé en procureur contre ce système peu en accord avec la lettre de la constitution. L'on sourira sans doute en voyant son discours se glisser avec autant d'aisance dans le moule, démontrant ainsi un manque de mémoire ou bien, plus probablement, l'espèce de fatalité qui pèse sur l'exercice du pouvoir et qui se moque des meilleures intentions...

Le même système est également en œuvre lorsqu'il doit traiter des questions de société comme la peine de mort, la délinquance, la sécurité, etc. Le tableau VI indique en effet un fort recul du *je*, mais au profit du *nous* qui prend la place du *il* impersonnel. *Nous* aurions donc en charge la société française plus que le président lui-même? Encore faut-il se souvenir que ce pronom est extraordinairement polysémique. D'après le contexte, il est possible de déterminer le sens approximatif de ce *nous*. Pratiquement la moitié d'entre eux signifie le *pouvoir*, un petit tiers « Nous les Français » et le reste « Nous les socialistes, la gauche ».

Si l'on ajoute, à la première signification du *nous*, toutes les références au gouvernement, aux ministres...on constate que le pouvoir envisagé comme collectif devient, en matière sociale, le premier sujet du discours de Mitterrand avant même le *je*. Le schéma de la partie économique se trouve intégralement repris : le président énonce, le gouvernement, à la tête de l'administration, et le parlement exécutent. Quand cela lui semble favorable, Mitterrand assume directement la décision : « J'ai fait décider que le fameux 1% pour la culture serait mis à exécution dans les deux ans »... Mais, à chaque fois que le résultat paraît improbable, voire impossible à atteindre, les difficultés lui semblant l'emporter sur les bénéfices de l'opération, le gouvernement ou les ministres doivent monter en première ligne. Ainsi à propos de la *sécurité des Français* : « Si le *gouvernement* doit sévir, il sévira...quant aux mesures de sécurité, le *ministre d'Etat chargé de l'intérieur* a... Sur le plan de la gendarmerie, le *ministre de la défense* a... », etc. Parfois même, la responsabilité semble s'éloigner à l'infini. Par exemple, pour les radios libres, après avoir constaté qu'*il existe un monopole* qui ne sera pas remis en cause, il ajoute que « Les radios *locales* (et non plus libres) seront *permises* selon les critères qui seront définis par le gouvernement, par les assemblées, enfin par qui le voudra ou par qui sera compétent, ces critères seront établis, je n'ai pas à en faire état ici. Ils seront larges ». Dans son esprit il s'agit donc, non pas de liberté, mais d'autorisation et, si la chose risque de ressembler à un étranglement, il n'y est pour rien : cela se passera très loin, dans le bureau *compétent*.

Le *nous* sert aussi à mobiliser les *socialistes* évoqués peu souvent sous une forme directe. Par exemple, dans l'interview télévisée de décembre, Mitterrand en parle d'abord à propos du congrès de Valence pour calmer la tension et leur conseiller un ton plus serein. Il les nomme aussi lorsqu'il parle de *socialisme à la française* défini à l'aide de cette équation : « Les réformes de la social-démocratie européenne plus les nationalisations et la planification démocratique ». Là encore, son but est de calmer les polémiques ou les craintes : il insiste beaucoup plus longuement, à l'aide du *nous*, sur la fidélité *intransigeante* des socialistes à la *démocratie*, à l'*alternance* et au *pluralisme*. En bref, dans le couple « socialisme démocratique », il met surtout l'accent sur le second terme. S'il évoque la *fin de l'exploitation*, il contourne l'expression classique « appropriation collective des grands moyens de production » qui fleure trop un maximalisme devenu inutile. Il fond les deux mots possibles — appropriation et socialisation — dans une formule beaucoup plus neutre, *appréhension sociale*, et efface « moyens de production ». Les fidèles auront malgré tout reconnu le dogme et constateront que Mitterrand y reste attaché ; quant aux autres, les auditeurs moyens, ils n'y verront qu'une image bizarre et sans portée pratique d'autant que le président glisse aussitôt pour s'étendre sur la liberté et la démocratie... Ainsi combine-t-il deux messages en un : pour les français, il signifie qu'il n'y a pas de quoi fouetter un chat et, en direction des socialistes, ou des militants de gauche : le socialisme est en chemin, maintenant mobilisons-*nous* sur le terrain politique et électoral.

La question se pose alors de savoir quel objectif Mitterrand assigne au parti socialiste, en dehors de gagner les élections. L'apparition des socialistes, dans la partie de sa conférence de presse consacrée aux problèmes de société, et seulement à ce moment-là, signale bien quel est dans son esprit le terrain dévolu à son ancien parti. Plus précisément, il ressent le besoin de les mobiliser sur la question de la *sécurité et de la violence*. A ce propos, il rappelle d'abord l'*analyse des socialistes* à l'aide d'une cascade de *nous* et d'une petite incise : « La ville bâtie pour le profit n'est pas un facteur de paix sociale ». Ce passage indique clairement où est le principal champ d'action ouvert aux militants : la prévention sociale, la vie associative locale et la maîtrise des municipalités. Le deuxième domaine, que Mitterrand assigne au parti socialiste, c'est l'*éducation* à propos de laquelle il affirme rester fidèle à l'*objectif des socialistes*, sans dire lequel, et se contente d'appeler à la négociation *fraternelle*. Enfin dernier domaine d'action, abordé par la bande à plusieurs reprises, en particulier concernant les radios nommées à dessein *locales* : la communication. En réalité, plusieurs indices montrent que la chose occupe une place importante dans les préoccupations du président, mais il se garde de l'exposer trop ouvertement dans ses discours présidentiels. Le rôle principal du parti socialiste consiste à *expliquer*, à *éclairer les choix du gouvernement*, à *convaincre les Français*, à *mobiliser les masses populaires*, selon les termes de son message au congrès de Valence. Bref, les socialistes doivent se consacrer à l'action locale, à la défense de la laïcité (mais sans forcer la note) et à la campagne d'explication en faveur du pouvoir. Bien sûr, il n'y a rien là de bien exaltant. C'est pourquoi Mitterrand emploie le *nous*, non seulement pour signifier qu'il reste socialiste, mais surtout pour suggérer aux militants qu'ils sont eux aussi le pouvoir. Le procédé inclusif présente l'énorme avantage de le dire en finesse, sans choquer, contrairement au fameux « théorème de Valence », énoncé à la tribune du congrès par Fabius : « Chaque militant c'est le PS, le PS c'est le gouvernement, (donc) chaque militant c'est le gouvernement »[12]. Mitterrand sait éviter cette brutalité démagogique, il lui suffit de dire *nous* pour obtenir du troupier la même identification à ses généraux sans qu'on trouve à y redire !

12. Intervention au Congrès de Valence, *Le poing et la rose*, novembre 1981, p. 24.

Enfin, un petit tiers des *nous* désignent tous les Français. Les moments où il emploie l'inclusion dans ce sens le plus large sont révélateurs de l'état d'esprit de Mitterrand envers ses concitoyens. On trouve d'abord : « Les pacifiques gardiens de la paix qui *nous* sont chers ». Puis le *nous Français* est employé à propos de la télévision, de l'indépendance énergétique, de l'industrie de pointe et, à la fin de sa conférence de presse, du *bicentenaire de notre première révolution*. « Le premier centenaire ayant été célébré par une exposition universelle dont il *nous* reste beaucoup de choses et notamment la tour Eiffel ». Alors il faut en faire une autre en 1989 : « Ne serions-*nous* pas capables dans la situation où *nous* sommes de marquer *notre* choix de l'avenir et *notre* confiance dans le pays ? » A bien entendre Mitterrand, les Français réclament donc des policiers, du nucléaire, de la télé, des gadgets électroniques et une nouvelle tour Eiffel... Une sorte de version moderne de l'antique *panem et circenses*. N'en déduisons pas cependant qu'il prend ses compatriotes pour des demeurés, mais plutôt qu'il ne voit rien d'autre à leur offrir, pour les distraire de leur malaise et de leur angoisse devant l'avenir...

Une conclusion s'impose donc : le discours présidentiel de Mitterrand obéit sensiblement aux mêmes schémas que ceux de ses prédécesseurs. Trois différences méritent d'être notées. Par rapport à de Gaulle et à Pompidou, Mitterrand se distancie plus des questions économiques. Dès l'automne 1981, la structure de son discours rappelle celui de Giscard : ils paraissent habités d'un certain fatalisme et semblent surtout préoccupés de limiter leur responsabilité. Par contre, politiquement, Mitterrand se rapproche beaucoup de de Gaulle, par la thématique de la légitimité historique et la tranquille certitude que donne une solide majorité parlementaire. Enfin, par rapport à tous ses devanciers, on voit apparaître chez lui, en filigrane, une préoccupation nouvelle dans sa volonté d'assurer une manière d'encadrement social en douceur grâce à son parti. Le moule de la Ve République reste donc intact et nous laisserons au lecteur le soin de déterminer si la cause doit en être recherchée dans la logique du pouvoir qui transcende la bonne volonté de l'homme ou si elle réside au principe même d'un projet politique fondé sur la conquête de l'Etat sans que soient permises les interrogations sur la nature des institutions considérées comme de simples instruments.

Conclusion

« L'artifice du langage représente à mes yeux un symptôme majeur du mal dont souffre l'occident. »

(F. Mitterrand, L'abeille et l'architecte).

Le portrait de Mitterrand est maintenant complet. S'il fallait le résumer d'un mot nous ne choisirions pas vanité ou insincérité comme le font ses détracteurs — encore que l'analyse du discours ne leur donne pas tout à fait tort — mais aristocrate[1]. Tout ce qu'on vient de mettre au jour dans ce livre — conception du monde, style, thèmes, recherche du langage et des expressions — tout cela appartient à l'esthétique, à la vision aristocratique. Par certains côtés, Mitterrand ressemble un peu au Guépard, il accepte que tout change s'il le faut pour demeurer lui-même tel qu'il s'est choisi. Dans le monde moderne, on ne prend guère au sérieux de tels personnages, d'où la carapace que Mitterrand s'est construite peu à peu. Longtemps il a craint la lumière vive, l'œil inquisiteur de la caméra devant lequel il est difficile de maquiller les choses. Il a besoin de sentir à qui il s'adresse pour pouvoir ajuster le propos à son auditoire. D'où aussi son goût pour les journalistes, hommes de mots comme lui. Il les recevait rue de Bièvres ou dans les Landes, leur montrant une coupure de journal, des poèmes, leur lâchant des anecdotes plus ou moins inédites qui le mettaient en valeur... C'est également pourquoi il aimait tant les meetings. Ce public maintenu à bonne distance de la tribune, il le tâtait, le sondait, mesurait ses réactions et le *captait* selon sa propre expression. Il veut posséder mais craint d'être percé à jour : comme on a buté sur cette attitude pratiquement à chaque pas, on ne doutera plus que nous avons là l'essentiel de Mitterrand.

Changera-t-il ? Nous prendrons le risque de répondre par la négative pour deux raisons qui ont trait au discours politique plus qu'à la personne même du président.

D'une part, il lui faudrait renoncer à son passéisme et reprendre à son compte certaines caractéristiques du discours contemporain

1. Ce terme ne doit pas être entendu de manière péjorative. Il est employé en stylistique pour désigner le genre le plus proche de Mitterrand. Naturellement derrière un tel style, il y a une certaine vision du monde, une manière de s'y comporter avec de la noblesse mais non sans fabrication.

qui lui font horreur, non sans raison. Ce discours possède un certain nombre de particularités qu'on peut évoquer rapidement pour comprendre pourquoi le Mitterrand que nous connaissons y restera étranger. Tout d'abord, le style est plus tendu, plus linéaire : la construction suit au plus près le canevas sujet-verbe-complément et ne fait pas appel aux ressources du beau langage qui passe mal sur les media modernes. Ce style ne recherche pas la richesse ou la diversité mais l'efficacité. Les substantifs en nombre restreint sont réutilisés sans craindre les répétitions. Les verbes se réduisent aussi : être et avoir — dont on sait la commodité — ou des « performatifs » sur le modèle « dire c'est faire ». Les autres tendent à se substantiver par le procédé de la nominalisation : on ne dira plus planifier mais planification, gérer mais gestion, nationaliser mais nationalisation, etc. Grâce à ce procédé, l'orateur efface le sujet de l'action ou le complément d'agent : plus personne n'agit, tout est affaire de processus, de lois objectives, de spécialistes, suivant une caractéristique qu'Orwell avait bien pressenti dans son newspeak. La rhétorique, elle, se fait numérale. Le chiffre présente en effet l'immense avantage d'échapper en apparence à l'irrationnel : le dénombré c'est le connu, le déjà maîtrisé. Il ne s'agit pas d'accumuler les chiffres, comme Mitterrand en 1974 pour avoir l'air à la page, mais de jouer avec eux comme le font Rocard ou Giscard. L'un et le multiple, le grand et le petit, l'absolu et le relatif... permettent une multitude de figures rhétoriques nouvelles qui donnent au discours politique contemporain l'apparence de la science moderne, du savoir synthétique. De même, par rapport aux vieux thèmes de Mitterrand, le registre métaphorique s'est profondément transformé puisant d'abord dans la science et la technique, religions des temps modernes. Les images courantes viennent maintenant de l'algèbre, de la physique-chimie, de l'électronique, de l'espace, de la théorie des systèmes et de la communication. Ou alors le politique empruntera aux sports de masse (cyclisme, football, automobile...) pour se placer dans la position du champion ou dans celle plus enviée du sélectionneur, de l'entraîneur, du directeur de course qui ont remplacé le chef de guerre dans la mythologie contemporaine. Plus fondamentalement encore, on pourra voir autant de métaphores dans le déferlement des abréviations, des sigles, du jargon économique et financier : de nouveaux objets se sont ainsi glissés dans le discours du pouvoir. Notre livre aura montré, nous l'espérons, tout ce que cela peut avoir d'étranger à la culture de Mitterrand. Il pourra bien en saisir quelques lambeaux pour les intégrer à sa gnose personnelle, mais au fond, cet univers issu de la science et de la vie modernes lui restera obscur.

D'autre part, en effet, pour reprendre l'imagerie organiciste de nos hommes politiques, le discours ressemble un peu à la marche. Une fois acquise, elle devient un mécanisme réflexe ; on perd pratiquement tout contrôle dessus et la façon dont nous marcherons ou parlerons trahira, malgré nous, notre état physique et mental. Certes, c'est bien nous qui avons choisi l'allure de galop, le train de sénateur ou la démarche sautillante, tout comme Mitterrand s'est choisi librement sa destinée. Mais ensuite, il nous est difficile de modifier ces choses, plus difficile en tout cas que de changer de vêtements. Ce n'est pas une affaire de technique ou de volonté. Il y faut une remise en cause fondamentale de soi-même que l'homme ordinaire opère d'ailleurs tout au long de sa vie, au contact des autres, sans même en avoir clairement conscience. Or l'expérience des prédécesseurs de Mitterrand montre que la fonction présidentielle isole son titulaire, le replie sur lui-même et, par une sorte de fatalité, le fait glisser sur sa pente « naturelle », accusant encore les traits de son caractère. Tout ce que de Gaulle, Pompidou ou Giscard ont finalement pu nous offrir était une sorte de long monologue avec eux-mêmes. Depuis longtemps déjà, Mitterrand a choisi de s'y enfermer à son tour.

ANNEXE

L'ANALYSE DU DISCOURS

Présenter en détail les concepts utilisés, justifier les hypothèses de départ, les choix opérés, les indices sélectionnés ou les mesures effectuées, tout cela demanderait un volume aussi gros que celui-ci. Certes, il est toujours agréable, pour l'analyste, de dévoiler au public la machinerie conceptuelle qu'il a construite ou de mettre en valeur la pertinence de ses opérations, mais l'honnêteté oblige à dire que nous n'avons guère innové — ce n'était pas notre ambition — et le spécialiste aura d'ailleurs reconnu sans peine la reprise de techniques déjà employées pour d'autres objets. Cependant il n'est peut-être pas inutile de brosser, à l'intention du lecteur profane, un rapide panorama de l'analyse du discours employée dans cet ouvrage.

Le seul aspect quelque peu novateur de notre étude vient probablement de la réunion d'instruments que maintiennent séparés les querelles d'écoles et la spécialisation des chercheurs. En effet, l'analyse de discours n'a pas encore trouvé son unité. Branche de la théorie linguistique, elle opère cependant en marge de celle-ci. D'une part, en effet, la linguistique s'est constituée sur la fameuse distinction saussurienne entre langue et parole. La langue, comme système indépendant des sujets qui l'emploient, fut longtemps le seul objet de la linguistique. Certes, cette opposition se trouve aujourd'hui dépassée, en particulier grâce aux travaux de Benveniste, mais la théorie n'en reste pas moins centrée sur l'étude des systèmes formels et non sur les pratiques concrètes qui sont au cœur de l'analyse de discours. D'autre part, on peut grossièrement distinguer trois niveaux dans la théorie du langage : son, syntaxe et sens. Or l'analyse de discours se situe à ce troisième niveau qui constitue la partie la moins achevée de la linguistique moderne. Ajoutons enfin que les vingt dernières années ont été marquées par un « anti-humanisme » théorique qui mettait l'accent sur les structures et l'idéologie, tout en récusant la problématique du sujet et de la créativité discursive. En voulant ainsi tordre le cou au sujet (individuel ou collectif) pour le coucher sur le lit de Procuste des « formations sociales », on a durablement orienté l'analyse du discours dans une impasse dogmatique. Telles sont les raisons pour lesquelles il n'existe pas, actuellement, de théorie et de méthodologie unifiées où le non-linguiste pourrait puiser à sa guise des instruments prêts à l'emploi[1]. L'analyste se trouve donc condamné

---

1. Toutefois, on trouvera dans les ouvrages de Robin et de Maingueneau un tableau assez exhaustif des méthodes contemporaines d'analyse du discours. Cf. bibliographie à la fin.

à « bricoler » sa propre méthode comme nous l'avons fait pour étudier Mitterrand. Il ne faudrait pas grossir les dangers de cette situation. En effet, on dispose aujourd'hui d'une riche palette de réflexions théoriques et d'études empiriques dans lesquelles nous avons puisé. En gros, on peut distinguer trois types d'approches : lexicale, rhétorique et énonciative.

La perspective lexicologique, principalement utilisée dans le chapitre II, a été rendue possible par l'avènement des ordinateurs qui ont permis d'embrasser, de façon exhaustive, le vocabulaire employé dans de vastes corpus. Apparemment, les machines ont également éliminé les questions de contenu puisque les opérations se déroulent automatiquement sans qu'intervienne le jugement de l'analyste : celui-ci s'efface devant le document, les mots deviennent des formes vides. C'est le principe du « texte roi ». L'idée de base se résume simplement : a priori, le vocabulaire disponible étant indéfini, toute apparition, que l'on nommera occurrence, sera symptomatique (d'où la construction d'index). La réapparition d'une même forme sera alors doublement significative : l'étude des fréquences représente la clef de voûte de la lexicographie[2]. De nombreux hommes politiques contemporains ont été étudiés de cette manière. Nous avons utilisé principalement les travaux de Cotteret et Moreau, le livre de Gerstlé et la thèse de Bonnafous. L'ensemble des données disponibles sur les autres hommes politiques nous a servi de référence pour juger de la singularité de Mitterrand. Cependant, comme l'aura laissé pressentir la courte discussion qui introduit le deuxième chapitre, cette perspective lexicographique présente de sérieux inconvénients. Par différentes techniques, nous avons réintroduit le sens et nous avons élargi l'analyse afin de découvrir l'organisation du vocabulaire mitterrandien qui dévoile une certaine vision du monde et de l'action politique.

La rhétorique, utilisée principalement dans les chapitres III et IV, est incontestablement la partie la plus ancienne et la mieux connue quoiqu'elle ait été profondément remaniée à la lumière des théories modernes et, en particulier, des travaux de Jakobson. A l'aide de la classification proposée par la rhétorique ancienne (Barthes, Fontanier), nous nous sommes d'abord livrés à un recensement, aussi exhaustif que possible, des figures employées par Mitterrand durant ces vingt dernières années. Puis nous avons intégré à l'analyse des notions plus philologiques (construction de phrases, argumentation, etc.), en procédant par sondages répartis régulièrement sur la période ; ce qui a permis d'écarter certains traits « accidentels » et de saisir le génie propre de Mitterrand. Enfin, nous avons recensé l'ensemble des métaphores. La difficulté,

---

2. La revue *Mots*, éditée par la Fondation nationale des sciences politiques, présente un panorama des techniques lexicographiques.

rapidement exposée au début du chapitre IV, venait de ce qu'on ne dispose pas de critères certains pour départager les métaphores vivantes des images lexicalisées, stéréotypées. Pour notre part, nous avons choisi de ne pas relever les traits employés couramment par d'autres politiques, antérieurement ou à la même époque que Mitterrand. Ainsi *l'état de grâce* lui appartient en propre, même s'il est devenu ultérieurement un stéréotype, mais non le langage guerrier appliqué aux élections. Par contre, ces mêmes figures militaires employées à propos des relations entre le PC et le PS sont bien des métaphores puisque le registre habituel à l'époque était d'ordre matrimonial... C'est le classement et le décompte méthodiques de ces différents éléments qui font apparaître le goût de Mitterrand pour la réversion, les inversions et les incises, l'argumentation détournée. De même, on a pu ainsi déceler deux catégories bien différentes de métaphores. La seconde, qui comprend les images employées pour n'importe quel thème, permet de conclure au gnostisme de Mitterrand. Son vocabulaire et son style suggéraient déjà cette caractéristique, mais l'intérêt de la combinaison de plusieurs méthodes vient justement de ces convergences qui se tissent progressivement.

Enfin, la théorie dite de « l'énonciation de la subjectivité dans le discours » a été employée plus particulièrement dans les chapitres I et V. Cette théorie, développée à l'origine par Benveniste, a été complétée par de nombreux travaux (en particulier Dubois et Ducrot). On en trouvera un exposé complet dans le livre de Kerbrat-Orecchioni. L'énonciation désigne l'acte par lequel le locuteur mobilise la langue pour son propre compte dans le but de produire des énoncés, un discours. Ce travail du sujet sur la langue se traduit par une série d'indices spécifiques (pronoms personnels, temps verbaux, modalités, etc.) qui permettent de mesurer l'état d'esprit du locuteur, son rapport au monde. C'est dans cette optique, par exemple, que Courdesses a comparé Thorez et Blum en mai 1936. Etant donné la lourdeur et la complexité extrême de ce travail, nous avons limité le relevé exhaustif de ces indices à trois textes : le débat Giscard-Mitterrand qui a servi de matrice de référence au cours de cette étude[3], la première conférence de presse présidentielle (septembre 1981) et l'entretien télévisé de décembre 1981. Des comparaisons par sondages ont été effectuées sur les prestations identiques des prédécesseurs[4] afin de saisir les continuités et les ruptures introduites par Mitterrand dans le discours présidentiel de la Ve République.

La difficulté essentielle ne résidait pas dans le dépouillement ou la mesure, mais dans l'exposé des résultats de cette recherche. En effet, il n'y a que deux solutions possibles. Ou bien on poursuit sur la lancée et

---

3. Une analyse détaillée et chiffrée de ce débat a été présentée dans la *Revue française de science politique* (octobre-décembre 1981).
4. L'étude en a été partiellement présentée dans notre cours : *Le discours politique*, polycopié, Institut d'études politiques, Grenoble, 1981.

on algébrise aussi le compte rendu, avec tableaux, graphiques, écart-types, variances... Mais le gain en précision se payera très cher : la circulation se réduira au petit cénacle des initiés. L'autre solution consiste à recourir à la langue naturelle avec sa redoutable polysémie. Le risque est grand d'égarer le lecteur. Par exemple, il aura certainement ressenti toute la différence existant entre certains *choix* lexicaux parfaitement voulus (congrès de Metz...) et d'autres *choix* rhétoriques ou métaphoriques qui appartiennent à des couches beaucoup plus profondes et échappent grandement à la volonté et à la conscience. Le redire à chaque fois au risque de lasser ? Alors comment éviter que le lecteur ne voie partout de la mystification consciente ? Ici, hélas, pas de recettes pour nous tirer d'affaire... A cela s'ajoutent deux écueils encore plus sérieux. D'une part, en effaçant les étapes intermédiaires, on risque de laisser penser que la démarche suivie a été purement intuitive. Pour pallier ce premier inconvénient, nous avons, autant que possible, essayé de «rendre» le raisonnement en œuvre et de suggérer parfois les modes de vérification choisis. D'autre part, le danger existe toujours de substituer au discours original sa propre petite musique, d'investir le texte avec sa propre subjectivité. Pour y parer, nous avons utilisé au maximum le matériau primitif : mots et expressions de Mitterrand, en les replaçant dans l'architecture générale. Restait enfin à contourner l'interdiction qui, dans ce type d'exposé, frappe le chiffre et, plus encore, le pourcentage. On y supplée par des périphrases (plus grand que, la plupart, fort, faible...). Mais on doit aussi recourir à la citation illustrative, genre dont on sort rarement indemne : pourquoi celle-là plutôt que celle-ci ? A chaque fois il faudrait des index de mots, de thèmes, de figures... Nous avons donc classé nos fiches et choisi les extraits selon quatre critères : la centralité dans l'éventail obtenu, la brièveté, le caractère récent et l'immédiateté de la compréhension afin d'éviter l'exégèse. Avec toujours l'espoir de provoquer ce petit déclic de la mémoire qui fera dire : «j'ai aussi entendu cela en écoutant Mitterrand... ».

Nous voudrions conclure cette note par deux remarques.

A l'issue de ce livre, on pourra de bonne foi, penser que nous n'avons fait que découvrir des évidences qui ne nécessitaient pas le recours à la lourde machinerie conceptuelle de la linguistique. Une analyse plus classique n'aurait-elle pas donné les mêmes résultats ? En réalité, aucun objet connu ne dépasse en complexité le langage humain et, s'il est trop faiblement outillé ou trop pressé, l'observateur, aussi fin soit-il, se perdra à tout coup dans l'immense foisonnement du discours. Pour s'en convaincre, il suffira de relire les milliers de pages consacrées à Mitterrand... Nous ne dénions pas à leurs auteurs talent et intuition. Nous préférons simplement les méthodes, un peu plus rigoureuses, qu'offre la linguistique moderne.

Enfin, quel crédit accorder à ce qu'on vient de lire ?

La réponse ne nous appartient pas. Une fois le livre achevé, il nous échappe et ce qu'on a bien imprudemment tenté de fixer par l'écriture se déforme déjà sous nos yeux... L'auteur se prend à regretter une formule trop concise, un raccourci ambigu, l'esprit de classement et de système qui lui joue des tours. Vouloir cerner un tel homme en deux cents pages est une gageure. Mais peu importe au fond, puisque nous serons jugé de toute manière. Laissons de côté les parti-pris politiques et demandons-nous un instant en quoi la science peut y aider. Apprécier la validité d'une analyse peut d'abord se faire en reprenant le matériel et en véri-fiant les résultats. C'est une voie longue et un peu rebutante. Il y a aussi la voie courte qui s'appuie sur une exigence difficile à laquelle doit tenter de répondre également un travail de ce genre : permettre de prévoir, au moins partiellement, le visage futur du phénomène étudié. Le lecteur pourra donc, à peu de frais, juger de la pertinence de notre étude en écoutant le président. Nous lui demandons par avance beaucoup de mansuétude...

BIBLIOGRAPHIE

I. Ouvrages de Mitterrand utilisés pour l'analyse :

Le coup d'Etat permanent, Paris, Plon, 1964.
Ma part de vérité, Paris, Le livre de poche, Fayard, 1969.
La rose au poing, Paris, Flammarion, 1973.
La paille et le grain, Paris, Flammarion, 1975.
Politique 1, Paris, Fayard, 1977.
L'abeille et l'architecte, Paris, Le livre de poche, Flammarion, 1978.
Ici et maintenant, Paris, Le livre de poche, Fayard, 1980.
Politique 2, Paris, Fayard, 1981.
Et divers articles et interviews.

II. Biographies et essais concernant Mitterrand :

Borzeix J.M., *Mitterrand lui-même*, Paris, Stock, 1973.
Lande D., *François Mitterrand*, Paris, Edipa, 1974.
Giesbert F.O., *François Mitterrand ou la tentation de l'histoire*, Paris, Seuil, 1977.
Desjardin T., *François Mitterrand un socialiste gaullien*, Paris, Hachette, 1978.
Colliard S., *La campagne présidentielle de Mitterrand en 1974*, Paris, PUF, 1979.
Estier C., *Mitterrand président*, Paris, Stock, 1981.
Cayrol R., *F. Mitterrand 1945-1967*, Paris, FNSP - CEVIPOF, 1967.
Cotteret J.M. et al, *Giscard-Mitterrand, 54774 mots pour convaincre*, Paris, PUF, 1976.
Moulin C., *Mitterrand intime*, Paris, A. Michel, 1982.
Bizot J.F. et al, *Au parti des socialistes. Plongée libre dans les courants d'un grand parti*, Paris, Grasset, 1975.

III. Quelques ouvrages de linguistique :

Barthes R., «L'ancienne rhétorique», *Communications*, 16, 1970.
Benveniste E., *Problèmes de linguistique générale*, 2 tomes, Paris, Gallimard, Tel, 1980.
Bonnafous S., *Les motions du congrès de Metz*, thèse de 3e cycle, Paris Nanterre, 1981. Un aperçu dans «Le vocabulaire spécifique des motions Mitterrand, Rocard et Ceres au congrès de Metz», *Mots*, octobre 1981.
Cotteret J.M. et al, *Recherches sur le vocabulaire du général de Gaulle*, Paris, Presses de la FNSP, 1969.
Courdesses L., «Blum et Thorez en mai 1936 : analyse d'énoncés», *Langue française*, 9, février 1971.
Dubois J., «Enoncé et énonciation», *Langages*, 13, mars 1969.
Ducrot O., *La preuve et le dire*, Paris, Mame, 1973.

Fontanier P., *Les figures du discours*, Paris, Flammarion, Champs, 1977.

Geoffroy A. et al., *Des tracts en mai 1968*, Paris, Presses de la FNSP, 1973.

Gerstlé J., *Le langage des socialistes*, Paris, Stanké, 1979.

Jakobson R., *Essais de linguistique générale*, Paris, Seuil, Points, 1970.

Kerbrat-Orecchioni C., *L'énonciation de la subjectivité dans le discours*, Paris, A. Colin, 1981.

Labbé D., «Moi et l'autre. Le débat Giscard-Mitterrand», *Revue française de science politique*, octobre-décembre 1981.

Le Guern M., *Sémantique de la métaphore et de la métonymie*, Paris, Larousse, 1973.

Maingueneau D., *Initiation aux méthodes de l'analyse du discours*, Paris, Hachette, 1976.

Morier H., *Dictionnaire de poétique et de rhétorique*, Paris, PUF, 1980.

Reboul O., *Langage et idéologie*, Paris, PUF, 1980.

Robin R., *Histoire et linguistique*, Paris, A. Colin, 1973.

SOURCES

Les références sont données ainsi : premiers mots de la citation, initiales et page de l'ouvrage dont elle est extraite.
LCEP : Le coup d'Etat permanent.
MPV : Ma part de vérité.
LPG : La paille et le grain.
P1 : Politique 1.
AA : L'abeille et l'architecte.
IM : Ici et maintenant.
P2 : Politique 2.
Les dates renvoient au jour de la déclaration généralement reproduite dans *Le Monde* du lendemain.

Chapitre 4